W9-CJB-105

52
LECCIONES DE VIDA
{BASADAS EN LA PALABRA DE DIOS}

GUILLERMO MALDONADO

52

LECCIONES

DE VIDA

{BASADAS EN LA PALABRA DE DIOS}

Nuestra Visión

Alimentar espiritualmente al pueblo de Dios
por medio de enseñanzas, libros y prédicas; y expandir
la palabra de Dios a todos los confines de la tierra.

"Yo te he llamado a traer
Mi poder sobrenatural a esta generación"

52 Lecciones de Vida
Basadas en la Palabra de Dios

Primera Edición 2009

ISBN: 978-1-59272-326-3

Todos los derechos son reservados por el *Ministerio Internacional El Rey Jesús/Publicaciones.*

Esta publicación no puede ser reproducida ni alterada parcial o totalmente, ni archivada en un sistema electrónico, o transmitida bajo ninguna forma electrónica, mecánica, fotográfica, grabada o de alguna otra manera sin el permiso previo del autor por escrito.

Biblia Plenitud. 1960 Reina-Valera Revisión, ISBN: 089922279X, Editorial Caribe, Miami, Florida.

Portada diseñada por:
ERJ Publicaciones

Categoría:
Liderazgo

Publicado por:
ERJ Publicaciones
13651 SW 143 Ct., Suite 101, Miami, FL 33186
Tel: (305) 233-3325 – Fax: (305) 675-5770

Impreso por:
ERJ Publicaciones, EUA

ÍNDICE

INTRODUCCIÓN

El hecho que este libro haya llegado a sus manos no es simple casualidad. No conozco a ciencia cierta su situación, pero estoy seguro que usted fue guiado sobrenaturalmente a tomar este libro. Posiblemente tiene preguntas sin responder, decisiones que tomar, heridas que sanar, problemas que resolver... Tal vez usted ha buscado un consejo sabio, sin recibirlo; ha leído otros libros sin hallar respuestas; ha asistido a conferencias que le han prometido mucho, para luego salir igual o peor de lo que entró. Probablemente está enfrentando una crisis matrimonial, quizá sus hijos se fueron de casa, hay rebeldía en su corazón, o no sabe cómo servir a Dios eficazmente. Incluso es posible que haya recurrido al alcohol, las drogas, el sexo, o los deportes, sin conseguir llenar el vacío que hay en su corazón.

Permítame decirle que usted no es el único en este escenario. Muchas personas en situación similar a la suya han encontrado en este libro 52 maneras prácticas para superar las dificultades. Han aprendido a hacerle frente a la vida siguiendo el consejo de Dios. En otras palabras, estas lecciones le permitirán mirar su problema desde una perspectiva diferente, el punto de vista de Dios. Estas lecciones de vida se han vuelto tan útiles que cada semana se comparten en más de 3.000 casas de la Florida. Su sabiduría expuesta con sencillez las ha llevado a convertirse en verdaderos tesoros. Lo mejor es que la sabiduría está en el mensaje, no en el mensajero. Por eso, de casa en casa, las clases son dadas por gente como usted y como yo. ¿A quiénes? A familiares, amigos, y compañeros de trabajo; es decir, personas como nosotros mismos, que necesitamos recibir guía y dirección; aunque también pueden servir de base para mensajes a la iglesia. Reconocemos que la sabiduría que encierran viene del cielo, por eso estas lecciones están concebidas de manera tan práctica, que es imposible pasearse entre sus líneas sin ser contagiados por su verdad y sin que seamos movidos a actuar conforme a ella.

Amigo lector, doy gracias a Dios por haber puesto este libro al alcance de su mano. Bendigo el propósito que hay para su vida y sé que cuando usted termine de leerlo, nunca más será el mismo de antes, porque la sabiduría contenida en sus páginas le habrá transformado.

EL ARREPENTIMIENTO

PASAJE BÍBLICO

"15...diciendo: El tiempo se ha cumplido, y el reino de Dios se ha acercado; arrepentíos, y creed en el evangelio".
Marcos 1.15

OBJETIVOS

- Conocer qué es y qué conlleva un verdadero arrepentimiento.
- Hacer un llamado a quienes no tienen el regalo de la vida eterna por falta de arrepentimiento de sus pecados.
- Reconocer cuál es la actitud de nuestro corazón frente al pecado: ¿arrepentimiento o remordimiento?

INTRODUCCIÓN

Una de las virtudes más grandes en una persona es reconocer cuando está equivocada y acepta la corrección. Si todos los seres humanos se despojaran de su orgullo y permitieran que esta virtud aflorara en sus vidas, tendrían un corazón más dispuesto hacia Dios. El arrepentimiento, tanto para los que no conocen el Evangelio como para los creyentes, es muy importante, ya que por medio de él se puede obtener el regalo de la vida eterna y la liberación de ataduras del pasado. Es por eso que el primer llamado que Jesús hizo cuando comenzó su ministerio fue al arrepentimiento y a creer en el Evangelio.

¿Qué es el arrepentimiento?

Arrepentimiento procede de la palabra griega *metánoia*, que significa cambiar de mente, corazón y acción. Cuando el arrepentimiento es genuino, la persona cambia su manera de pensar y actuar.

¿Cuál es la diferencia entre arrepentimiento y remordimiento?

El arrepentimiento nace del corazón y la condición de pecado se reconoce por amor y temor a Dios. El remordimiento es, en cambio, una simple aceptación mental que se sustenta en el temor a las consecuencias. La manera de pensar del mundo es la siguiente: "yo soy bueno porque no le hago mal a nadie".

¿Por qué Jesús comenzó predicando el arrepentimiento?

Porque en la medida que todos los hombres son pecadores y están destituidos de la gloria de Dios deben, para ser salvos y poder cambiar, reconocer a Jesús de corazón. Sólo con un arrepentimiento verdadero y el reconocimiento de que Jesús es hijo de Dios y redentor de la humanidad, hay una oportunidad de reconciliación con el Padre.

¿Qué se experimenta con el verdadero arrepentimiento?

1. **Tristeza por el pecado** de haber ofendido a Dios.

2. **Confesión del pecado.**

"⁹Si confesamos nuestros pecados, él es fiel y justo para perdonar nuestros pecados, y limpiarnos de toda maldad". 1 Juan 1.9

3. Voluntad de abandonar el pecado.

"¹³El que encubre sus pecados no prosperará; mas el que los confiesa y se aparta alcanzará misericordia". Proverbios 28.13

¿Qué debemos hacer después de arrepentirnos?

Creer en el Evangelio, en las buenas nuevas de que por Jesús hay esperanza, que no tenemos que seguir siendo pecadores sino que somos justificados delante del Padre por medio de la gracia de Cristo. Las ataduras a cualquier vicio o situación no tienen cabida si creemos en Jesús. ¡Crea y deje de sufrir por esa enfermedad! ¡Deje de sufrir por aquello que lo agobia! ¡El Evangelio es la respuesta!

Jesús nos guía al arrepentimiento a través de su bondad, mediante su corazón dispuesto y benigno.

"¹Por lo cual eres inexcusable, oh hombre, quienquiera que seas tú que juzgas; pues en lo que juzgas a otro, te condenas a ti mismo; porque tú que juzgas haces lo mismo. ²Mas sabemos que el juicio de Dios contra los que practican tales cosas es según verdad. ³¿Y piensas esto, oh hombre, tú que juzgas a los que tal hacen, y haces lo mismo, que tú escaparás del juicio de Dios? ⁴¿O menosprecias las riquezas de su benignidad, paciencia y longanimidad, ignorando que su benignidad te guía al arrepentimiento? ⁵Pero por tu dureza y por tu corazón no arrepentido, atesoras para ti mismo ira para el día de la ira y de la revelación del justo juicio de Dios, ⁶el cual pagará a cada uno conforme a sus obras: ⁷vida eterna a los que, perseverando en bien hacer, buscan gloria y honra e inmortalidad, ⁸pero ira y enojo a los que son contenciosos y no obedecen a la verdad, sino que obedecen a la injusticia". Romanos 2.1-8

PREGUNTAS FINALES

- ❖ ¿Qué es el arrepentimiento y qué es el remordimiento?
- ❖ ¿Por qué Jesús hizo énfasis en el arrepentimiento?
- ❖ ¿Cuáles son las tres actitudes principales que demuestran arrepentimiento?
- ❖ ¿Qué hay que hacer después de arrepentirse?

APLICACIÓN

- ✓ El líder guiará a cada persona a reflexionar sobre sus actos y a escudriñar su corazón para saber si hay un verdadero arrepentimiento de pecados. Hará con ellas una oración de arrepentimiento para que haya un cambio de acción, de mente y de corazón.
- ✓ Luego invitará a las personas nuevas a recibir a Jesús como Señor y Salvador.

LAS CINCO VESTIDURAS DE JOSÉ

PASAJE BÍBLICO

"³¹...pero los que esperan a Jehová tendrán nuevas fuerzas; levantarán alas como las águilas; correrán, y no se cansarán; caminarán, y no se fatigarán". Isaías 40.31

OBJETIVOS

- Reconocer que las situaciones difíciles en nuestra vida nos sirven para madurar espiritualmente.
- Identificar el plan de Dios en medio de las dificultades.
- Conocer algunas etapas que debemos atravesar para alcanzar la victoria y la bendición.

INTRODUCCIÓN

Es difícil reconocer que las injusticias que recibimos nos pueden servir para alcanzar un verdadero crecimiento espiritual. Sin embargo, esto llega a nosotros cuando obedecemos, incluso en medio de la adversidad. La obediencia tiene que ver con realizar una acción, y la sumisión tiene que ver con la actitud que tomamos frente a lo que obedecemos.

"³Y amaba Israel a José más que a todos sus hijos, porque lo había tenido en su vejez; y le hizo una túnica de diversos colores. ⁴Y viendo sus hermanos que su padre lo amaba más que a todos sus hermanos, le aborrecían, y no podían hablarle pacíficamente". Génesis 37.3-4

1. **La túnica de colores** representa una etapa de grandeza pero con falta de madurez. Dios tenía planes con José, pero en ese momento, lo único que éste tenía era la posición de privilegio que su padre le daba: carecía de la madurez para manejar esa grandeza. Dios no lo podía usar así porque su corazón no estaba en el lugar correcto. Dios debía hacer primero algunos ajustes en su carácter.

2. **La vestidura de esclavo.** Movidos por la envidia y los celos, los hermanos de José decidieron deshacerse de él y terminaron vendiéndolo como esclavo. José fue despojado de su túnica y de todos sus privilegios.

   "³¹Entonces tomaron ellos la túnica de José, y degollaron un cabrito de las cabras, y tiñeron la túnica con la sangre…". Génesis 37.31

   "¹Llevado, pues, José a Egipto, Potifar oficial de Faraón, capitán de la guardia, varón egipcio, lo compró de los ismaelitas que lo habían llevado allá". Génesis 39.1

   Sus propios hermanos le cambiaron la túnica de colores por una de "esclavo". Ésta es la etapa donde el enemigo trata de hacernos creer que no somos hijos de Dios. Sin embargo, fue allí donde José comenzó a tener una relación cercana con el Señor y a consolidar sus convicciones. Podemos identificarnos con esto porque en situaciones difíciles buscamos más a Dios y desarrollamos temor hacia Él.

3. **La vestidura de prisionero.** En los momentos de aflicción solemos pensar que Dios se olvidó de nosotros, que es muy difícil o imposible salir de donde estamos. Pero Él, siempre y cuando tengamos una actitud correcta, nos dará favor, gracia y nos hará justicia cuando seamos juzgados, acusados o criticados. José trabajó para un

hombre que llegó a apreciarlo y del que obtuvo otra vez privilegios. Sin embargo, su carácter debía seguir siendo formado, por lo que a raíz de un incidente con la esposa de su amo perdió de nuevo sus privilegios y fue a dar a la cárcel con vestiduras de prisionero.

"20Y tomó su amo a José, y lo puso en la cárcel, donde estaban los presos del rey, y estuvo allí en la cárcel. 21Pero Jehová estaba con José y le extendió su misericordia, y le dio gracia en los ojos del jefe de la cárcel". Génesis 39.20-21

4. **La vestidura de hombre libre.** Gracias al favor y la gracia que Dios le dio para interpretar sueños y su servicio y buena actitud de corazón, a José le fue cambiada la vestidura de esclavo por la de hombre libre, aún en la peor situación.

"14Entonces Faraón envió y llamó a José. Y lo sacaron apresuradamente de la cárcel, y se afeitó, y mudó sus vestidos, y vino a Faraón. 15Y dijo Faraón a José: Yo he tenido un sueño, y no hay quien lo interprete; mas he oído decir de ti, que oyes sueños para interpretarlos. 16Respondió José a Faraón, diciendo: No está en mí; Dios será el que dé respuesta propicia a Faraón". Génesis 41.14-16

5. **La vestidura de gobernador.** Esta vestidura representa la etapa de victoria, el resultado de nuestra actitud correcta frente a las circunstancias. Es aquí donde Dios nos da los recursos para triunfar porque tenemos la madurez de llevar dignamente la posición y las bendiciones que pone en nuestras manos.

"42Entonces Faraón quitó su anillo de su mano, y lo puso en la mano de José, y lo hizo vestir de ropas de lino finísimo, y puso un collar de oro en su cuello". Génesis 41.42

José guardaba el dolor de todo lo que había sufrido. Había decidido olvidarse de su familia haciéndose a la idea de que era más egipcio que hebreo, olvidando que estaba incumpliendo el propósito de Dios. Esto es lo que muchas veces hacemos. Nos dejamos cegar por el dolor y nos olvidamos del propósito por el que fuimos creados. José ya tenía el poder y la autoridad, pero seguía enojado con sus hermanos. Dios necesitaba sanarlo para llevar a cabo su plan y salvar al pueblo de Israel. Cuando sueltes tu dolor, entenderás tu propósito. Con la posición, viene la provisión, pero para cumplir el plan de Dios debes renunciar a tu justicia.

"7Y Dios me envió delante de vosotros, para preservaros posteridad sobre la tierra, y para daros vida por medio de gran liberación. 8Así, pues, no me enviasteis acá vosotros, sino Dios, que me ha puesto por padre de Faraón y por señor de toda su casa, y por gobernador en toda la tierra de Egipto". Génesis 45.7-8

PREGUNTAS FINALES

❖ ¿Qué representan cada una de las vestiduras de José?
❖ ¿Cuál debe ser nuestra actitud frente a las situaciones difíciles?
❖ ¿Qué es lo que realmente debemos mirar en medio del dolor?

APLICACIÓN

✓ A fin de que las personas se identifiquen mejor, el líder narrará una experiencia personal sobre cada una de las etapas aquí descritas.
✓ Luego orará por todas las personas del grupo que todavía sienten dolor en su corazón debido a traiciones, críticas e injusticias, y las guiará a perdonar para que puedan cumplir el propósito de Dios.

LA AUTORIDAD SOBRE EL ENEMIGO

PASAJE BÍBLICO

"12Porque no tenemos lucha contra sangre y carne, sino contra principados, contra potestades, contra los gobernadores de las tinieblas de este siglo, contra huestes espirituales de maldad en las regiones celestes". Efesios 6.12

OBJETIVOS

- Conocer los tres tipos de autoridad que necesita un creyente para poder realizar batallas efectivas.
- Identificar en qué nivel de autoridad se encuentra cada persona y cómo subir al siguiente.

INTRODUCCIÓN

Siempre que hablamos de la autoridad dada por Dios a sus hijos, creemos que todos tenemos el mismo nivel; de ahí que muchos, al hacer guerra contra el enemigo, se vean seriamente afectados. Cuando aceptamos a Jesús como Señor y Salvador pasamos a ser hijos de Dios, y recibimos su autoridad, pero ésta debe ser activada e incrementada. Hoy veremos tres tipos de autoridad sobre el enemigo.

1. **La autoridad por obediencia.** Esta autoridad se recibe por nuestra obediencia a Dios, a los pastores, líderes, jefes y esposos(as). En este nivel la autoridad es condicional. ¿Qué significa? Que para ejercer autoridad debemos vivir bajo autoridad.

   "7Someteos, pues, a Dios; resistid al diablo, y huirá de vosotros". Santiago 4.7

   La condición que la Palabra pone para resistir al diablo es la de permanecer sometidos a Dios. Debemos vivir en obediencia a su Palabra y a las autoridades que Él ha puesto en la tierra. Sin embargo, la autoridad obtenida por obediencia nos da sólo dominio en la Tierra, no sobre poderes malignos en los lugares celestes. Jesús, como ser humano, caminó primero en la autoridad que se obtiene por obediencia. Muchos de los ataques que reciben los creyentes se deben a su falta de sumisión a la autoridad.

2. **La autoridad por resurrección**

   "18Y Jesús se acercó y les habló diciendo: Toda potestad me es dada en el cielo y en la tierra". Mateo 28.18

   ¿Qué características tiene la autoridad por resurrección?

   - Es el tipo de autoridad que Jesús conquistó cuando Dios le resucitó de los muertos. Esta autoridad nos la heredó a nosotros.

   - La autoridad por obediencia es para ejercerla contra los demonios en la tierra. La autoridad por resurrección es para ejercerla contra las potestades y principados en la tierra y en los cielos.

   - Esta autoridad es dada al creyente una vez que ha probado su obediencia a Dios y a sus autoridades.

- Muchos creyentes no logran disfrutar la autoridad por resurrección debido a su falta de sujeción. Oran, sin legalidad para hacerlo, a favor de la ciudad y contra las potestades y principados celestes. No han pasado aún la prueba de la obediencia y por eso, cuando el enemigo los contraataca, padecen grandes derrotas.

3. La autoridad ganada en el Espíritu

¿Qué características tiene la autoridad ganada en el Espíritu?

- Comenzamos a ganar autoridad en el Espíritu solo después de haber ejercido autoridad por resurrección.

- Se adquiere cuando vivimos experiencias de guerra espiritual, cuando ganamos la guerra contra un demonio o un problema. Y esta autoridad y efectividad en la guerra espiritual se incrementa cada vez que ganamos una batalla al enemigo.

- La autoridad ganada en el Espíritu, al igual que la autoridad por resurrección, es para hacer guerra contra principados, potestades, gobernadores de las tinieblas, en una ciudad, país o región. ¡Es guerra de alto nivel!

Los problemas o las crisis que el diablo levanta contra nosotros son tan sólo un medio para desarrollar niveles de mayor autoridad. ¡Gracias a Dios por los desafíos y los problemas! Al comenzar a ganar autoridad contra el enemigo, no debemos retroceder sino avanzar, ir a la ofensiva para ganar mayor autoridad. Dios permite que ciertos enemigos nos ataquen para que luchemos, ganemos autoridad y seamos entrenados para la guerra.

"¹Éstas, pues, son las naciones que dejó Jehová para probar con ellas a Israel, a todos aquellos que no habían conocido todas las guerras de Canaán; ²solamente para que el linaje de los hijos de Israel conociese la guerra, para que la enseñasen a los que antes no la habían conocido". Jueces 3.1-2

Cuando ganamos autoridad en el Espíritu, entramos en la lista de los más peligrosos contra el infierno y el enemigo.

Preguntas finales

- ❖ ¿Cuáles son las diferencias entre la autoridad por obediencia y la autoridad por resurrección?
- ❖ ¿Cuáles son las características que tiene la autoridad ganada en el Espíritu?
- ❖ ¿Cuál es la relación nivel de guerra con nivel de autoridad?

Aplicación

- ✓ El líder debe preguntar a cada creyente en qué nivel de autoridad considera que se encuentra, y debe animarlo a luchar en obediencia, sabiendo que al vencer, obtendrá mayor autoridad en el Espíritu.
- ✓ Luego orará por aquellas personas a las que les cuesta mucho obedecer o entender la autoridad.
- ✓ Finalmente, llamará a las nuevas personas para que reciban a Jesús como Señor y Salvador y reciban así su primer nivel de autoridad.

¡CORTEMOS EL CHISME!

PASAJE BÍBLICO

"²³El que guarda su boca y su lengua, su alma guarda de angustias". Proverbios 21.23

OBJETIVOS

- Crear conciencia de la importancia de no prestar nuestra boca y oídos a la promoción de chismes.
- Conocer las consecuencias que sufren quienes practican o se dejan llevar por el chisme.

INTRODUCCIÓN

Muchas veces nos preguntamos ¿por qué nuestras finanzas van mal?, ¿por qué no nos llevamos bien con las personas?, ¿por qué la enfermedad?, ¿por qué no alcanzamos nuestras metas? Pues bien, parte de las respuestas están en nuestro comportamiento. Cuando acusamos y juzgamos a otros con nuestros dichos, nos condenamos al fracaso, a la enfermedad y a la miseria. Si caemos en la tentación del chisme, seremos parte de la naturaleza satánica. ¡Es hora de dejar la inmadurez y vivir en el temor de Dios!

¿Qué es el chisme?

La palabra **chisme** proviene del griego *flúaros*, que significa murmurar, parlotear en contra o andar de persona en persona poniéndolas en contra. Chismoso es quien siembra contienda entre hermanos, generando enemistad y operando bajo la naturaleza satánica que acusa, murmura y calumnia.

¿Quién es el diablo?

Diablo procede de la palabra griega *diábolos*, que significa calumniador, acusador, difamador; el que hace tropezar a otros sembrando dardos en las mentes para crear contiendas. El chismoso está influenciado por demonios.

¿De qué manera puede un chismoso, calumniador o murmurador contaminar a otros?

"⁹Porque en la boca de ellos no hay sinceridad; sus entrañas son maldad, sepulcro abierto es su garganta, con su lengua hablan lisonjas". Salmo 5.9

"¹³Y también aprenden a ser ociosas, andando de casa en casa; y no solamente ociosas, sino también chismosas y entremetidas, hablando lo que no debieran". 1 Timoteo 5.13

El chismoso contamina a otros al decir palabras que causan daño sobre terceros. El chismoso es sigiloso, zalamero y lisonjero; es un ocioso cuyas palabras penetran hasta las entrañas, afectando y contaminando todo nuestro ser.

¿Cuáles son las consecuencias que sufren los chismosos?

1. Los chismosos terminan en corrupción moral y de valores.

"28Todos ellos son rebeldes, porfiados, andan chismeando; son bronce y hierro; todos ellos son corruptores". *Jeremías 6.28*

El chismoso tiende a corromper a las personas de conciencia débil. Es así que las personas inmaduras o con poco conocimiento de la Palabra son territorio fácil para que el chismoso las contamine.

"7Pero no en todos hay este conocimiento; porque algunos, habituados hasta aquí a los ídolos, comen como sacrificado a ídolos, y su conciencia, siendo débil, se contamina". 1 Corintios 8.7

2. Los chismosos se convierten en personas contenciosas.

"20Sin leña se apaga el fuego, y donde no hay chismoso, cesa la contienda". Proverbios 26.20

Quien trae y lleva chismes de un lado a otro genera contiendas, divisiones y malos entendidos entre la gente. El chismoso tiende a cuestionar todo y a hacer preguntas controversiales. Es alguien negativo que contagia de su mal. Por cierto, hay quienes por un chisme han roto su relación con Dios y abandonado su llamado.

3. Los chismosos traen para sí condenación.

El chisme trae condenación al que lo practica y sus palabras lo conducen a condiciones permanentes de pobreza. El chismoso vive desenfocado de su propósito en Dios.

4. Los chismosos son juzgados por Dios con una calamidad repentina.

"14Perversidades hay en su corazón; anda pensando el mal en todo tiempo; siembra las discordias. 15Por tanto, su calamidad vendrá de repente; súbitamente será quebrantado, y no habrá remedio". Proverbios 6.14-15

¿Qué debemos hacer con quienes tratan de sembrar chismes?

"19El que anda en chismes descubre el secreto; no te entremetas, pues, con el suelto de lengua". Proverbios 20.19

No andes con el chismoso, no te asocies ni confíes en él, porque contaminará tu alma y también hablará mal de ti.

"17Mas os ruego, hermanos, que os fijéis en los que causan divisiones y tropiezos…y que os apartéis de ellos. 18Porque tales personas no sirven a nuestro Señor Jesucristo, sino a sus propios vientres, y con suaves palabras y lisonjas engañan los corazones de los ingenuos". Romanos 16.17-18

PREGUNTAS FINALES

❖ ¿Qué es el chisme y de qué manera contamina?
❖ ¿Cuáles son las consecuencias fatales que sufren los chismosos?
❖ ¿Qué debemos hacer con las personas que tratan de sembrarnos chismes?

APLICACIÓN

✓ Orar por aquellos que permitieron que el chisme entrara en sus vidas.
✓ Guiar al grupo a pedir perdón por todas las personas que afectaron con el chisme, sembrando contiendas y divisiones. Renunciar a los espíritus de murmuración, contienda y crítica.
✓ Llamar a las personas nuevas para que acepten a Jesús como su Señor y Salvador.

LA CONVERSIÓN DE PABLO

PASAJE BÍBLICO

"¹⁴Y él dijo: El Dios de nuestros padres te ha escogido para que conozcas su voluntad, y veas al justo, y oigas la voz de su boca. ¹⁵Porque serás testigo suyo a todos los hombres, de lo que has visto y oído". Hechos 22.14-15

OBJETIVOS

- Llamar al arrepentimiento a quienes se han hecho enemigos de Dios sin saber que es su Salvador.
- Animar a los creyentes a predicar el Evangelio sin importar qué tan difíciles sean las personas.

INTRODUCCIÓN

En esta lección muchas personas se identificarán con el Apóstol Pablo. Antes de conocer al Señor, la mayoría de nosotros creíamos estar en lo correcto, siguiendo una religión o confiando en el poder de nuestras buenas obras.

¿Quién era Pablo antes de su encuentro con Jesús?

"³Yo de cierto soy judío, nacido en Tarso de Cilicia, pero criado en esta ciudad, instruido a los pies de Gamaliel, estrictamente conforme a la ley de nuestros padres, celoso de Dios, como hoy lo sois todos vosotros". Hechos 22.3

Pablo nació en Tarso, descendiente de la tribu de Benjamín. Su nombre era Saulo. A los cuatro años se sabía de memoria la Torá (Génesis, Éxodo, Deuteronomio, Números y Levítico); hablaba griego en la calle y hebreo en su casa. Sus padres, también fariseos, le transmitieron su aversión por quienes incumplían la ley. A los 25 años tuvo como maestro a Gamaliel, fariseo y doctor de la Torá, uno de los mejores de la época. Saulo era un hombre de alta sociedad, conquistador, soldado y entrenado en la mentalidad judeo-romana. Era testarudo y no le importaba a quién se llevara por delante cuando se trataba de cumplir una misión.

¿Qué función cumplía Pablo con respecto a la naciente iglesia de Jesucristo?

"³Y Saulo asolaba la iglesia, y entrando casa por casa, arrastraba a hombres y a mujeres, y los entregaba en la cárcel". Hechos 8.3

Perseguía a los creyentes, los hacía negar su fe, los sacaba arrastrados de sus casas y los apedreaba hasta matarlos. Saulo de Tarso quería borrar a los cristianos de la faz de la Tierra. Pero Dios tenía otros planes para él y su testarudez.

"¹⁵El Señor le dijo: Ve, porque instrumento escogido me es éste, para llevar mi nombre en presencia de los gentiles, y de reyes, y de los hijos de Israel…". Hechos 9.15

Cuando Saulo terminó su instrucción con Gamaliel regresó a Jerusalén, creyendo que todos lo reverenciarían; en cambio, encontró un avivamiento por otro hombre y a todo el mundo enloquecido por la reputación de un carpintero que había ¡resucitado! y que había dicho: *"¹⁸El Espíritu del Señor está sobre mí, por cuanto me ha ungido para dar buenas nuevas a los pobres; me ha enviado a sanar a los quebrantados de corazón; a pregonar libertad a los cautivos, y vista a los ciegos; a poner en libertad a los oprimidos; ¹⁹a predicar el año agradable del Señor" (Lucas*

4.18-19). Saulo, muy celoso de su tradición, acudió a Gamaliel, quien para su sorpresa le dijo: "Si esto es de Dios, permanecerá; si no, se disolverá." Entonces fue donde Caifás, el Sumo Sacerdote, y le reclamó: "¡Hay una religión nueva y es una amenaza para nosotros! Dame cartas para perseguir a esta gente"; pero Caifás le respondió: "No te preocupes, esto pasará...". Aun así, Saulo siguió empecinado en destruir a los creyentes, encabezando el movimiento contra los seguidores de Jesús, a quien consideraba un impostor.

"33Ellos, oyendo esto, se enfurecían y querían matarlos. 34Entonces levantándose en el concilio un fariseo llamado Gamaliel, doctor de la ley, venerado de todo el pueblo, mandó que sacasen fuera por un momento a los apóstoles, 35y luego dijo: Varones israelitas, mirad por vosotros lo que vais a hacer respecto a estos hombres...38...Apartaos de estos hombres, y dejadlos; porque si este consejo o esta obra es de los hombres, se desvanecerá; 39mas si es de Dios, no la podréis destruir; no seáis tal vez hallados luchando contra Dios". Hechos 5.33-39

Saulo sentía que todo el mundo lo dejaba solo y pensó que era el único que amaba a Dios. Él pelearía por su causa hasta el fin; sin embargo, algo inesperado y repentino le ocurrió.

"3Mas yendo por el camino, aconteció que al llegar cerca de Damasco, repentinamente le rodeó un resplandor de luz del cielo; 4y cayendo en tierra, oyó una voz que le decía: Saulo, Saulo, ¿por qué me persigues? 5El dijo: ¿Quién eres, Señor? Y le dijo: Yo soy Jesús, a quien tú persigues; dura cosa te es dar coces contra el aguijón. 6Él, temblando y temeroso, dijo: Señor, ¿qué quieres que yo haga? Y el Señor le dijo: Levántate y entra en la ciudad, y se te dirá lo que debes hacer". Hechos 9.3-6

Todo niño hebreo sabía que cuando se veía una luz más brillante que la del mediodía era la gloria de Dios. Seguramente Saulo pensó que Dios estaba agradado con él y que por eso se le manifestaba y lo llamaba por su nombre. Pero Jesús le preguntó: *"¿Por qué **me** persigues?"*. Saulo no esperaba esto; levantó su cabeza y le preguntó quién era, pero al ver la luz refulgente se dio cuenta que estaba luchando contra Dios mismo. Saulo se creía amigo de Dios, pero en realidad era su enemigo. ¡Qué triste que tantas personas estén equivocadas! No importa la religión que tengas, no importa de dónde vengas: si no tienes a Cristo, no tienes vida. Jesucristo es la respuesta, Él es la vida eterna y hoy está aquí para dártela. Si tu familia te ha dicho que su religión es la verdadera, no significa que lo sea. ¡Qué triste sería saber que tratando de hacer lo mejor, te has convertido en enemigo de Dios! A pesar de todo el daño que Saulo hizo, Jesús lo perdonó, lo salvó y le dio su verdadera misión. Luego de esto, Pablo manifestó el poder de Jesús, predicó su palabra y no cesó de hacerlo hasta su muerte.

PREGUNTAS FINALES

❖ ¿Por qué Saulo perseguía a la Iglesia?
❖ ¿En qué estaba equivocado Pablo?

ACTIVACIÓN

✓ El líder hará una comparación entre cómo era cada persona antes de conocer a Jesús y después de experimentarlo.
✓ Luego animará a las personas a predicar el Evangelio y orará por su salvación y para que se cumpla el propósito de Dios en quienes han recibido al Señor.
✓ Finalmente llamará a quienes como Pablo no aceptaban a Jesús por creerlo un impostor o por pensar que podían llegar a Dios por medio de sus obras y no por el sacrificio de su hijo en la Cruz.

CAVAR POZOS HASTA ENCONTRAR AGUA

PASAJE BÍBLICO

"[10]En ti confiarán los que conocen tu nombre, por cuanto tú, oh Jehová, no desamparaste a los que te buscaron".
Salmos 9.10

OBJETIVOS

- Animar a las personas a que perseveren en sus bendiciones.
- Valorar la importancia de cortar con el pasado y obedecer a Dios.
- Reconocer que las bendiciones no se obtienen a modo del mundo sino a la manera de Dios.

INTRODUCCIÓN

La mayoría de los hijos de Dios tienen problemas de perseverancia. Aunque conocemos las promesas de la Palabra, tendemos a rendirnos frente a las dificultades de la vida. Dios quiere premiar nuestra insistencia para alcanzar bendiciones. Sin perseverancia nada obtenemos, y a falta de ella podemos perder lo poco que hemos conseguido. Veamos qué representan los pozos y cuál es el significado de perseverancia.

Pozo es un símbolo de la bendición de Dios (por ejemplo, la mujer samaritana con Jesús).
Perseverancia significa insistir, permanecer, ser constante, no desistir, no rendirse.

Isaac, el hijo de la promesa, recibió una gran herencia de su padre Abraham, pero frente a un momento de crisis tuvo que mostrar su fe en Dios, su obediencia y su perseverancia para alcanzarla.

""[1]Después hubo hambre en la tierra… [2]y se le apareció Jehová, y le dijo: No desciendas a Egipto; habita en la tierra que yo te diré. [3]Habita como forastero en esta tierra, y estaré contigo, y te bendeciré; porque a ti y a tu descendencia daré todas estas tierras, y confirmaré el juramento que hice a Abraham tu padre. [4]Multiplicaré tu descendencia como las estrellas del cielo, y daré a tu descendencia todas estas tierras; y todas las naciones de la tierra serán benditas en tu simiente, [5]por cuanto oyó Abraham mi voz, y guardó mi precepto, mis mandamientos, mis estatutos y mis leyes. [6]Habitó, pues, Isaac en Gerar". Génesis 26.1-6

Egipto simboliza el mundo, y en este pasaje Dios nos está diciendo que en circunstancias difíciles no debemos usar las armas ni los sistemas del mundo, sino permanecer en Él y obedecer su voluntad.

"[12]Y sembró Isaac en aquella tierra, y cosechó aquel año ciento por uno; y le bendijo Jehová". Génesis 26.12

¿Qué fue lo primero que hizo Isaac? Sembrar, ¿y qué ocurrió? Que en plena crisis cosechó. Nótese que lo primero que Dios le dijo fue: "no desciendas a Egipto", es decir, no hagas lo que hace el mundo, que quiere cosechar antes de sembrar. Isaac hizo todo lo contrario; en tiempo de crisis no se comió lo que le quedaba sino que lo sembró. Nunca te comas tu última semilla, no te comas tu diezmo ni tu ofrenda. Por tanto, si usted está en crisis ¡siembre! Y por siembra no sólo nos referimos a dinero sino también a servicio, amor y todo aquello que le gustaría recibir.

La bendición de Dios produce envidia alrededor.

"¹⁴Y tuvo hato de ovejas, y hato de vacas, y mucha labranza; y los filisteos le tuvieron envidia. ¹⁵Y todos los pozos que habían abierto los criados de Abraham su padre en sus días, los filisteos los habían cegado y llenado de tierra. ¹⁶Entonces dijo Abimelec a Isaac: Apártate de nosotros, porque mucho más poderoso que nosotros te has hecho". Génesis 26.14-16

Debido a su obediencia, Dios bendijo a Isaac con muchas riquezas, pero los vecinos sintieron envidia y le cerraron sus pozos de agua. Proverbios dice que la excelencia del vecino provoca la envidia del prójimo. Sin embargo, aún en el destierro, Isaac perseveró para no perder la bendición:

"¹⁸Y volvió a abrir Isaac los pozos de agua que habían abierto en los días de Abraham su padre, y que los filisteos habían cegado después de la muerte de Abraham; y los llamó por los nombres que su padre los había llamado. ¹⁹Pero cuando los siervos de Isaac cavaron en el valle, y hallaron allí un pozo de aguas vivas, ²⁰los pastores de Gerar riñeron con los pastores de Isaac, diciendo: El agua es nuestra". Génesis 26.18-20

No pare de buscar aún cuando se levanten los obstáculos más grandes. No importa si ha tocado puertas y no se han abierto. ¡Hoy es tiempo de abrir pozos hasta que las aguas de bendición comiencen a fluir! Isaac abrió pozos que le causaron problemas, pero perseveró y aprendió, hasta que finalmente abrió uno de total bendición.

"²²Y se apartó de allí, y abrió otro pozo, y no riñeron sobre él; y llamó su nombre Rehobot, y dijo: Porque ahora Jehová nos ha prosperado, y fructificaremos en la tierra... ²⁴Y se le apareció Jehová aquella noche, y le dijo:...no temas, porque yo estoy contigo, y te bendeciré, y multiplicaré tu descendencia por amor de Abraham mi siervo". Génesis 26.22, 24

Rehobot significa hacer un lugar, ensanchar, tener espacio suficiente.

Cuando usted persevera, el enemigo se hace cada vez más débil. Cuando persevera y alcanza la bendición de Dios, hasta los que le hicieron mal volverán y querrán estar a su lado.

"²⁶Y Abimelec vino a él desde Gerar, y Ahuzat, amigo suyo, y Ficol, capitán de su ejército. ²⁷Y les dijo Isaac: ¿Por qué venís a mí, pues que me habéis aborrecido, y me echasteis de entre vosotros? ²⁸Y ellos respondieron: Hemos visto que Jehová está contigo; y dijimos: Haya ahora juramento entre nosotros, entre tú y nosotros, y haremos pacto contigo, ²⁹que no nos hagas mal, como nosotros no te hemos tocado, y como solamente te hemos hecho bien, y te enviamos en paz; tú eres ahora bendito de Jehová. ³⁰Entonces él les hizo banquete, y comieron y bebieron. ³¹Y se levantaron de madrugada, y juraron el uno al otro; e Isaac los despidió, y ellos se despidieron de él en paz". Génesis 26.26-31

PREGUNTAS FINALES

❖ ¿Qué es lo primero que Dios nos pide cuando estamos en una crisis?
❖ ¿Qué no debemos hacer con nuestra última semilla?
❖ ¿Qué debemos hacer con quienes nos rechazaron cuando estábamos crisis y vienen a nosotros cuando gozamos de abundancia?

APLICACIÓN

✓ El líder hará una oración general para que cada persona pueda abrir pozos y persevere en las bendiciones que Dios le ha prometido. Seguidamente orará por quienes enfrentan alguna situación crítica.
✓ Luego hará un llamado a las personas nuevas para que reciban a Jesús en su corazón.

EL ATAQUE DE UN ANTI-EDIFICADOR

PASAJE BÍBLICO

"¹Cuando oyó Sanbalat que nosotros edificábamos el muro, se enojó y se enfureció en gran manera, e hizo escarnio de los judíos". Nehemías 4.1

OBJETIVOS

- Preparar y fortalecer a los líderes para que no sean blanco de ataque de los *anti-edificadores*.
- Aprender a ser edificadores de guerra sin dejar de estar alertas a cualquier ataque.

INTRODUCCIÓN

Cada vez que comience a edificar algo significativo para Dios se levantarán *anti-edificadores* para detenerlo. Los anti-edificadores tienen como fin destruir lo avanzado, lo que ha sido restaurado, restablecido y reparado, sea en personas, obras o ministerios. Por eso es importante conocer las expresiones típicas de los *anti-edificadores* y las cinco áreas en las que operan.

Expresiones y áreas de ataque:

1. **"¿Qué hacen estos débiles judíos?".**

    - Ésta es una expresión común de los anti-edificadores, cuyo ataque va dirigido al carácter del líder mediante la destrucción de su proceso de madurez.

        "²Y habló delante de sus hermanos y del ejército de Samaria, y dijo: ¿Qué hacen estos débiles judíos? ¿Se les permitirá volver a ofrecer sus sacrificios? ¿Acabarán en un día? ¿Resucitarán de los montones del polvo las piedras que fueron quemadas?". Nehemías 4.2

    - Detectan las debilidades del líder y aprovechan las etapas de transición entre la inmadurez y la madurez de carácter para embestir. De ahí que los líderes deban trabajar ardua y velozmente en conseguir un nivel de madurez sólido y saludable, permitiendo a Dios obrar en sus corazones y teniendo la capacidad de admitir errores, pedir perdón y aceptar correcciones.

2. **"¿Van a edificar el muro para sí mismos?".**

    - La expresión apunta a un ataque hacia los motivos o intenciones del líder. Los *anti-edificadores* acusarán al liderazgo de construir para su ganancia y ambición personal.

    - Por eso es importante que el líder tenga un corazón limpio, es decir, que sus motivaciones, intenciones y pensamientos hayan sido purificados por Dios. Asimismo, que su servicio y ministerio sean por amor, agradecimiento y con espíritu por el Evangelio (*Romanos 1.9*).

    - Si los líderes no poseen esto, serán vulnerables a la agresión de los *anti-edificadores* y podrán, inclusive, ser avergonzados y derribados.

3. **"¿Se les permitirá volver a ofrecer sacrificios?".**

   - Indica un ataque al sacerdocio y a la capacidad del líder. En el Antiguo Testamento sólo el sacerdote podía ofrecer sacrificios y quemar ofrendas.

   - Los *anti-edificadores* pondrán en duda la habilidad de los nuevos líderes, argumentando que los fundadores tendrán siempre mayor capacidad.

   - Asimismo, adviértase que los *anti-edificadores* acusarán al líder de hacer más de lo que está calificado.

4. **"¿Acabarán en un día?".**

   - Esta expresión evidencia que el ataque se dirigirá sobre el liderazgo en el área de sabiduría. Propagarán la idea de que al líder le falta pasión y no es sabio para edificar la iglesia.

   - Atacarán sus decisiones para desacreditarlo y producir inestabilidad en la dirección del ministerio.

   - Acusarán al liderazgo de demandar a los creyentes demasiado compromiso.

5. **"¿Resucitarán de los montones del polvo, las piedras que fueron quemadas?".**

   - El objeto de blanco es la unción del líder. Los *anti-edificadores*, al operar en un espíritu de incredulidad con respecto a la obra de Dios, no comprenden cómo lo grande del cielo puede ser hecho por personas simples en la tierra.

   - Frente a los problemas que enfrente la iglesia y el abandono de algunas personas, los *anti-edificadores* promoverán que ésta se encuentra destruida y que en ella no queda nada bueno para edificar.

¿Cómo edificar frente a estos ataques?

Nehemías y su grupo construían con una mano mientras en la otra llevaban la espada. Cuando se va a edificar algo de gran impacto, por ejemplo, una vida, un matrimonio, un negocio o una iglesia, debe edificarse con una mano en la espada (espiritualmente hablando) y con la otra en la obra (lo terrenal). Sepa que siempre estaremos en guerra contra el enemigo.

PREGUNTAS FINALES

- ❖ Mencione algunas de las cinco áreas del liderazgo que atacarán los *anti-edificadores*.
- ❖ ¿Por qué cuando edificamos para Dios somos atacados?
- ❖ ¿Qué posición debemos adoptar para edificar?

APLICACIÓN

- ✓ El líder guiará al grupo en oración para pedir por sabiduría y discernimiento frente a los *anti-edificadores*.
- ✓ Luego orará para que Dios fortalezca y cubra las áreas que están siendo atacadas por el enemigo.
- ✓ Finalmente impartirá, a quienes deseen, el espíritu de edificación y guerra que está sobre la iglesia.

CAMBIAR AGUAS AMARGAS POR AGUAS DULCES

PASAJE BÍBLICO

"¹⁹Y los hombres de la ciudad dijeron a Eliseo: he aquí, el lugar en donde está colocada esta ciudad es bueno, como mi señor ve; mas las aguas son malas, y la tierra es estéril. ²⁰Entonces él dijo: Traedme una vasija nueva, y poned en ella sal. Y se la trajeron. ²¹Y saliendo él a los manantiales de las aguas, echó dentro la sal, y dijo: Así ha dicho Jehová: Yo sané estas aguas, y no habrá más en ellas muerte ni enfermedad. ²²Y fueron sanas las aguas hasta hoy, conforme a la palabra que habló Eliseo". 2 Reyes 2.19-22

OBJETIVOS

* Entender la responsabilidad que tiene el creyente en lo que Dios le quiere dar.
* Identificar que lo que esperamos obtener de Dios depende también de nuestra madurez espiritual.

INTRODUCCIÓN

Aunque somos hijos de Dios, herederos de sus promesas y bendiciones, no estamos disfrutando de ellas porque no hemos madurado. Dios no nos puede confiar unción, dones o sobreabundancia si no tenemos la madurez suficiente. Un manejo incorrecto puede derivar en nuestra propia destrucción. Muchos creyentes siguen en un círculo vicioso, no cambian, no han dejado de ser murmuradores, iracundos, egoístas, mal hablados, rencorosos e inestables. Eso explica por qué no logran crecer espiritualmente. ¡Dios quiere bendecirnos! ¡Es tiempo de que cada persona se dé cuenta de su condición y cambie!

¿Hijos de Dios o esclavos de amargura?

"¹⁹Por tanto, así dijo Jehová: Si te convirtieres, yo te restauraré, y delante de mí estarás; y si entresacares lo precioso de lo vil, serás como mi boca. Conviértanse ellos a ti, y tú no te conviertas a ellos". Jeremías 15.17

Este versículo nos enseña que si bien como hijos de Dios tenemos derecho a sus promesas y bendiciones, seremos iguales a esclavos si espiritualmente no crecemos.

"¹Pero también digo: Entre tanto que el heredero es niño, en nada difiere del esclavo, aunque es señor de todo...". Gálatas 4.1

Cambie situaciones amargas en algo positivo: el ejemplo de Eliseo.

Una evidencia de madurez espiritual es poder cambiar las aguas amargas en aguas dulces. Una situación puede ser transformada en algo positivo por dolorosa o terrible que sea. Jesucristo enseñó que sus discípulos se conocerían por sus frutos, y uno de esos frutos es nuestra correcta actitud frente a las circunstancias. Siempre habrá adversidades que nos causen amargura y que el enemigo aprovechará. Pero está en nosotros, siguiendo la actitud correcta, como la de Eliseo, sacar lo bueno y positivo de aquello que nos agobia.

Tomemos de *2 Reyes 2.19-22* una porción de la vida y los milagros de Eliseo para aplicarla a nuestro crecimiento espiritual. Eliseo se encontraba en tierra buena (como nosotros al tener a Jesús en nuestro corazón). Sin embargo, en ese lugar, había aguas amargas. Eliseo tomó la actitud correcta al convertirlas en dulces, actitud que debemos adoptar en todas la circunstancias que nos causen tristeza y dolor. ¿Cómo se hace?

- **Aceptando que las ofensas siempre van a venir, vaya donde vaya, esté donde esté.**

  "¹Dijo Jesús a sus discípulos: Imposible es que no vengan tropiezos; mas ¡ay de aquel por quien vienen!"
  Lucas 17.1

- **Comprendiendo que las ofensas son necesarias y que Dios las usará para hacernos crecer y madurar.**

  "⁷¡Ay del mundo por los tropiezos! porque es necesario que vengan tropiezos, pero ¡ay de aquel hombre por quien viene el tropiezo (ofensas, carnadas, trampas)!" Mateo 18.7

- **Aprendiendo a perdonar y viviendo el perdón como estilo de vida.**

  "¹⁴Bendecid a los que os persiguen; bendecid, y no maldigáis. ¹⁹No os venguéis vosotros mismos, amados míos, sino dejad lugar a la ira de Dios; porque escrito está: Mía es la venganza, yo pagaré, dice el Señor. ²⁰Así que, si tu enemigo tuviere hambre, dale de comer; si tuviere sed, dale de beber; pues haciendo esto, ascuas de fuego amontonarás sobre su cabeza. ²¹No seas vencido de lo malo, sino vence con el bien el mal".
  Romanos 12.14, 19-21

El creyente amargado no puede llevar fruto. Cuando siembra su semilla y comienza a crecer, cae repentinamente y vuelve a lo mismo. Es estéril, no rinde fruto. Sepa que entre más pronto perdone, será más fácil hacerlo. Nunca vamos a crecer y recibir todo lo que Dios tiene para nosotros si seguimos amargándonos. Usted debe perdonar a quien le haya ofendido. Dios siempre nos va a defender. Deje que Él ejecute la venganza y usted haga lo que la Palabra enseña acerca del perdón. Saque lo dulce de las situaciones amargas. Ganará crecimiento, madurez espiritual y bendición de Dios. Eso es lo que quiere nuestro Padre celestial.

PREGUNTAS FINALES

- ❖ ¿En qué circunstancia podemos ser comparados con esclavos aún cuando seamos hijos de Dios?
- ❖ Mencione una evidencia de madurez espiritual.
- ❖ ¿Qué debemos hacer con las personas y situaciones que nos causan dolor?
- ❖ ¿Cuáles son los tres aspectos importantes que debemos entender acerca de las ofensas?

APLICACIÓN

- ✓ El líder relatará un testimonio personal donde haya sacado lo bueno de alguna situación difícil. Dará la misma oportunidad a otro del grupo.
- ✓ Hará una oración por quienes se encuentren ofendidos y con falta de perdón. Pedirá a Dios que las aguas amargas puedan transformarlas en dulces para inundar sus vidas.
- ✓ Finalmente llamará a las personas nuevas a recibir a Jesús como su Señor y Salvador.

CÓMO ESTABLECER LA JUSTICIA EN UN CREYENTE

PASAJE BÍBLICO

"⁸Entonces nacerá tu luz como el alba y tu sanidad se dejará ver en seguida; tu justicia irá delante de ti y la gloria de Jehová será tu retaguardia. ⁹Entonces invocarás, y te oirá Jehová; clamarás, y dirá él: "¡Heme aquí! Si quitas de en medio de ti el yugo, el dedo amenazador y el hablar vanidad, ¹⁰si das tu pan al hambriento y sacias al alma afligida, en las tinieblas nacerá tu luz y tu oscuridad será como el mediodía". Isaías 58.8-10

OBJETIVOS

- Conocer el poder de la justicia a partir de nuestra sumisión y obediencia.
- Enseñar acerca de la iniquidad y cómo erradicarla de nuestras vidas.

INTRODUCCIÓN

La iniquidad es la razón principal de que la justicia de Dios no haya sido establecida en la vida de los creyentes. La iniquidad es causante de problemas, catástrofes, traumas, divorcios, destrucciones familiares, enfermedades, ataduras, vicios, inseguridades, temores, ira, amarguras, miseria, pobreza, injusticias, abusos y maldiciones generacionales en personas y pueblos. Una vez que somos libres de iniquidad, Dios puede establecer su justicia en nosotros.

¿Qué es iniquidad?

La iniquidad es cometer un pecado de continuo, llevándolo a la depravación y la perversión. Significa proceder con injusticia, vivir contra las leyes de Dios y conforme a nuestra voluntad. Es hacer lo que uno quiera, cuando quiera, como quiera y con quien quiera, despreciando el Señorío de Jesús.

La iniquidad entró en la raza humana por medio del pecado original. A partir de allí el hombre comenzó a depravarse, a pervertirse. Después de Adán, todos los hombres fueron concebidos en iniquidad. Esta maldición se destruye si la confesamos y pedimos perdón por nosotros y nuestros padres, activando el poder que Jesús conquistó en la cruz del Calvario para pagar por nuestros pecados, rebeliones e iniquidades. Su obra fue completa.

No obstante ello, muchos creyentes sufren todavía por consecuencia de la iniquidad. No comprenden el poder de la Cruz y que Jesús nos justifica en el momento que nacemos de nuevo. Pero es necesario que la justicia de Dios se establezca en nuestras vidas para desterrar la iniquidad.

¿Cómo establecer en nosotros la justicia de Dios?

Por medio de los juicios de Dios. La Palabra nos enseña que sus juicios son buenos.

"⁹El temor de Jehová es limpio: permanece para siempre; los juicios de Jehová son verdad: todos justos. ¹⁰Deseables son más que el oro, más que mucho oro refinado; y dulces más que la miel, la que destila del panal. ¹¹Tu siervo es, además, amonestado con ellos; en guardarlos hay gran recompensa". Salmos 19.9-11

Dios quiere traer justicia sobre toda la Tierra; pero cuando Él juzga, lo hace con malos y buenos, creyentes y no creyentes. La razón por la que muchos creyentes no desean los juicios de Dios es porque su vida no está en orden, no viven como hombres y mujeres justos sino como impíos, y saben que si el juicio de Dios viene, sus pecados saldrán a la luz. Por eso, antes de pedir la justicia de Dios, es importante que seamos liberados de todas nuestras iniquidades y pecados, para que cuando la justicia de Dios venga, nos levante en lugar de destruirnos.

"¹¡Jehová reina! ¡Regocíjese la tierra! ¡Alégrense las muchas costas! ²Nubes y oscuridad alrededor de Él; justicia y juicio son el cimiento de su trono. ³Fuego irá delante de Él y abrasará a sus enemigos alrededor…. ⁶Los cielos anunciaron su justicia y todos los pueblos vieron su gloria". Salmos 97.1-3, 6

¿Qué es ser justo delante de Dios?

"¹Había en el país de Uz un hombre llamado Job. Era un hombre perfecto y recto, temeroso de Dios y apartado del mal". Job 1.1

Justo es quien tiene rectitud moral y espiritual; quien teme a Dios y vive apartado del mal. No puede ser señalado por nadie porque tiene un testimonio intachable, una conducta limpia. El justo ama lo que Dios ama y odia lo que Él odia. Tiene pavor de ofenderlo con palabras, hechos y pensamientos. Se aparta inmediatamente de lo malo y, aunque comete faltas, busca vivir en santidad.

¿Cuáles son las obras del justo?

Obras espirituales: desatar ligaduras de impiedad, soltar cargas de opresión, dejar libres a los quebrantados.

Obras sociales: Compartir el pan con el hambriento, cubrir al desnudo, ayudar al necesitado, al huérfano, a la viuda y al extranjero.

"¹⁷…aprended a hacer el bien, buscad el derecho, socorred al agraviado, haced justicia al huérfano, amparad a la viuda". Isaías 1.17

¿Qué resultados obtenemos si somos libres de iniquidad y declarados justos?

"¹⁷El efecto de la justicia será la paz y la labor de la justicia, reposo y seguridad para siempre". Isaías 32.17

Podremos clamar justicia para nuestra nación y nuestra ciudad, sabiendo que si Dios juzga nuestros pecados, no seremos expuestos: ¡hemos sido lavados por la Sangre de su Hijo y peleamos nuestra santidad! Seamos libres de iniquidad, establecidos en la Tierra como personas justas y haciendo obras dignas que agraden al Señor.

PREGUNTAS FINALES

- ❖ ¿Cómo se puede establecer la justicia de Dios en un creyente?
- ❖ ¿Qué es ser justo delante de Dios?
- ❖ ¿Cuáles son las obras de un justo?

APLICACIÓN

- ✓ El líder guiará a las personas en oración para renunciar a la iniquidad.
- ✓ Luego invitará a las personas nuevas a recibir a Jesús como su Señor y Salvador.

EL PROPÓSITO DE LA MUJER

PASAJE BÍBLICO

"11Ahora pues, no temas, hija mía; yo haré contigo lo que tú digas, pues toda la gente de mi pueblo sabe que eres mujer virtuosa". Rut 3.11

OBJETIVOS

- Dar a conocer los propósitos en la creación de la mujer.
- Animar a las creyentes a desarrollarse como *mujeres virtuosas*.
- Incentivar a la mujer para que tome su lugar y lo valore como propósito de Dios.

INTRODUCCIÓN

En la actualidad, podemos reconocer que se ha perdido el verdadero propósito por el que Dios creó a la mujer. Junto a ello se han perdido los valores familiares de la sociedad. La mayoría de las personas no ha entendido a la mujer como creación maravillosa de Dios, ni el propósito por el que fue creada. Es hora de rescatar ese conocimiento y dar a la mujer el lugar que le corresponde. De ello se deriva la verdadera restauración de la familia.

1. La mujer es una obra artesanal de Dios.

   "13Porque tú formaste mis entrañas; tú me hiciste en el vientre de mi madre". Salmos 139.13

2. Cristo, como hombre, murió en la Cruz también por la mujer.

   "8Mas Dios muestra su amor…, en que siendo aún pecadores, Cristo murió por nosotros". Romanos 5.8

3. A Dios no le importa su pasado; Él la limpia y hace todo nuevo.

   "17De modo que si alguno está en Cristo, nueva criatura es; las cosas viejas pasaron; he aquí todas son hechas nuevas". 2 Corintios 5.17

¿Qué es propósito?

Propósito es la intención original para lo cual algo fue creado. Dios no sólo crea el propósito sino también el recipiente que lo llevará a cabo. El propósito determina la naturaleza, el diseño y las características del ser creado para que pueda cumplirlo. El propósito es antes, es el que da origen al recipiente o al portador del mismo.

"38Y Dios le da el cuerpo que él quiere, y a cada semilla su propio cuerpo". 1 Corintios 15.38

El hombre y la mujer son iguales como seres humanos pero poseen diferentes características; son iguales en espíritu, pero diferentes en la forma de expresar su naturaleza. Ser diferente no significa ser superior o inferior. La diferencia es necesaria por causa del propósito. La clave para entender el propósito del hombre y la mujer es comprendiendo su diseño. Veamos algunas consecuencias de no conocer el propósito por el que fuimos creados:

1. Cuando el propósito no se conoce, el abuso es inevitable.
2. Donde el propósito no es conocido, la diferencia se convierte en contienda.
3. Donde el propósito no es conocido, el diseño se disipa hasta desaparecer.
4. Donde el propósito no es conocido, la naturaleza se vuelve indefinida.

Cuando no se comprende para que creó Dios a la mujer, contra ella tienen lugar maltratos, abusos, menosprecio e ideas machistas como la de que "es un ser de segunda clase".

¿Cuáles son los cinco propósitos principales por los que la mujer fue creada?

1. **La mujer fue creada para ayudar al hombre**. Para cercarlo, rodearlo, protegerlo, socorrerlo, auxiliarlo en crisis y dificultades. La ayuda no hace el trabajo sino que complementa. La palabra *ayuda* significa adaptable, adecuada, apropiada, complementaria, correspondiente. Lo opuesto a ayuda es amenaza.

2. **La mujer fue diseñada para adaptarse al varón**. Por eso salió de la costilla de su propio cuerpo.

3. **La mujer fue diseñada para ser una incubadora**. Cultiva y multiplica todo lo que se le da. El hombre le da un espermatozoide y ella le devuelve un bebé; le da una casa y ella le da un hogar, y así sucesivamente.

4. **La mujer fue hecha para dar vida**. El esperma sin huevo o cigoto no da vida.

5. **La mujer le recuerda al hombre que necesita los sentimientos**. La mayor parte de los problemas en el hogar se deben a la diferencia de naturalezas. Muchas personas piensan que las necesidades del hombre y la mujer son las mismas, pero no es así. Por eso usted tiene que saber su propósito, su diseño y cómo funciona.

"4La mujer virtuosa es corona de su marido; mas la mala, como carcoma en sus huesos". Proverbios 12.4

Dios alaba a la mujer virtuosa, inteligente, de buen corazón para Dios y capaz.

¿Quién hallará mujer virtuosa?

La mujer virtuosa es muy difícil de encontrar; no está en la discoteca, el bar, la calle, el colegio, el trabajo o el cine. ¿Dónde se encuentra? Cerca de Dios. Quien quiera conocer a una mujer virtuosa, debe acercarse a Dios. Las mujeres virtuosas no son fáciles; a veces, hay que esperar mucho tiempo para encontrarlas.

"10Mujer virtuosa, ¿quién la hallará? Porque su estima sobrepasa largamente a la de las piedras preciosas". Proverbios 31.10

PREGUNTAS FINALES

❖ ¿Son iguales el hombre y la mujer? ¿Es el hombre más que la mujer?
❖ ¿Cuáles son los cinco principales propósitos por los que Dios creó a la mujer?
❖ ¿Cuál es la mujer que Dios alaba?

APLICACIÓN

✓ El líder orará por todas las mujeres que han sido maltratadas para que sean sanas. Pedirá al Espíritu Santo que las guíe a ser cada vez más virtuosas y tomar el lugar que les corresponde.
✓ Finalmente llamará a las personas nuevas para que reciban a Jesús como su Señor y Salvador.

ATRAPADO EN EL CICLO DE SER VÍCTIMA

PASAJE BÍBLICO

"⁴⁷Todo aquel que viene a mí, y oye mis palabras y las hace, os indicaré a quién es semejante. ⁴⁸Semejante es al hombre que al edificar una casa, cavó y ahondó y puso el fundamento sobre la roca; y cuando vino una inundación, el río dio con ímpetu contra aquella casa, pero no la pudo mover, porque estaba fundada sobre la roca. ⁴⁹Mas el que oyó y no hizo, semejante es al hombre que edificó su casa sobre tierra, sin fundamento; contra la cual el río dio con ímpetu, y luego cayó, y fue grande la ruina de aquella casa". Lucas 6.47-49

OBJETIVOS

- Identificar cuándo busca el enemigo ponernos en el lugar de víctimas y cuál es nuestra actitud frente a la vida.
- Aprender a tomar responsabilidad por nuestras decisiones.
- Salir del ciclo de ser víctima para entrar en un ciclo de bendición, respeto y valoración propia.

INTRODUCCIÓN

Muchas personas, aun después de recibir a Cristo y comprender su victoria en la cruz, siguen viviendo en derrota. Se sienten abatidas e incomprendidas y caminan por la vida declarando que no pueden con su situación. Desconocen que han caído en el *ciclo de ser víctima*. Están siempre buscando justificaciones sobre su falta de crecimiento, servicio y madurez espiritual. No pueden consigo mismas y constantemente se auto-compadecen.

Si no hay entendimiento de lo que Dios puede hacer en la vida de una persona que ha sido maltratada, ésta empezará a verse como una víctima que exigirá lástima y comprensión enfermizas. Se presentará así ante los demás. Sin saberlo, atraerá a las personas que se especializan en victimizar y entrará en un círculo peor aún.

Ciclo de ser víctimas: ejemplos y actitudes.

- La mujer que se casa con un hombre que abusa de ella. Después de varios años, ella saldrá de esta relación abusiva y volverá a casarse, eligiendo un hombre con el mismo comportamiento abusivo.

- El cristiano herido en una iglesia. Si tiene mentalidad de víctima tomará cualquier situación como personal y dirá: "No puedo creer que en esta iglesia me hieran también". No importa cuántas cosas maravillosas le hayan sucedido en esta iglesia, se olvidará de todas las bendiciones que Dios le dio allí; buscará siempre ser víctima y aprenderá a desarrollar ese papel.

- La relación matrimonial entre víctimas. Una dirá: "no hablo mucho porque los golpes me han dificultado relacionarme"; la otra contestará: "¿Tú piensas que has sido herida? No creo que igual que yo; a mí sí que me han pasado situaciones terribles". ¡Dos víctimas se casan! ¿Qué resultará de un matrimonio así?

- La persona que aún con lo suficiente pide asistencia al sistema de ayudas del gobierno. Siempre está buscando quien le resuelva su situación. Si no es víctima, nada es.

- Dos muchachos en un bar. Uno le pregunta al otro: "¿por qué tomas?", y contesta: "porque mi padre era borracho. Y tú, ¿por qué no tomas?". Aquél contesta: "porque elegí ser diferente a pesar de que mi padre era un borracho". Los dos muchachos tenían el mismo trasfondo de alcoholismo, experimentaron las mismas circunstancias,; pero uno se superó, mientras el otro se mantuvo en el mismo ciclo de ser víctima.

Debemos entender que nosotros escogemos lo que queremos ser en el presente y el futuro. Sentirnos deprimidos cada tres meses, dejar nuestro trabajo, servir o no al Señor, y darnos por vencidos, entre otras, son condiciones que decidimos. Afirmémonos en la palabra de Dios y fortalezcámonos en su poder. Sacudámonos la mentalidad de ser *víctima* y abracemos la mentalidad de *victoria*. Recuerde: ¡todo lo podemos en Cristo que nos fortalece!

"⁵Nos acordamos del pescado que comíamos en Egipto de balde, de los pepinos, los melones, los puerros, las cebollas y los ajos; ⁶y ahora nuestra alma se seca; pues nada sino este maná ven nuestros ojos". Números 11.5, 6

Los israelitas pasaron 430 años como esclavos en Egipto y, después de su liberación, seguían con mentalidad de esclavos; habían salido de Egipto, pero Egipto no había salido de ellos. Muchas personas no pueden salir del ciclo de ser víctimas porque es lo único que entienden y conocen. La mentalidad de víctima se ha convertido en un estilo de vida y no se dan cuenta, no ven la necesidad de cambiar. ¡Disfrutan de ese papel en la vida! Los israelitas se quejaron del maná del desierto; recordaban los deliciosos alimentos que comían, pero olvidaban la opresión, el sufrimiento y los latigazos. ¡Debemos tener cuidado cuando recordamos el pasado!

Deje de ser víctima.

"¹¹Cuando yo era niño, hablaba como niño, pensaba como niño, juzgaba como niño; mas cuando ya fui hombre, dejé lo que era de niño". 1 Corintios 13.11

Empiece a encontrar soluciones a los problemas que lo mantienen atado a esa mentalidad y deseche el egoísmo de su vida. Levántese y declare que en Cristo todo lo puede. Abandone la mentalidad del "¡Pobrecito yo!"; pare de jugar a ser víctima; seque sus lágrimas y deje la autocompasión. Si usted ha sido abusado en el pasado, si sus padres lo maltrataron, si tuvo un mal matrimonio, si alguien lo traicionó o lo dejó de amar, si experimentó el fuego y el desierto, sacuda el polvo de sus pies. ¡Levántese y siga adelante! Perdone a quienes lo lastimaron y deje de recordar los malos tiempos ¡Comience de nuevo hoy! Declare las promesas que Dios tiene para usted.

"⁸Y Jehová va delante de ti; él estará contigo, no te dejará, ni te desamparará; no temas ni te intimides". Deuteronomio 31.8

PREGUNTAS FINALES

❖ Frente a una situación difícil, ¿tiende usted a quejarse o se aferra a las promesas de Dios?
❖ ¿Se considera víctima de alguna situación actual?
❖ ¿Qué es lo que debemos confesar con nuestra boca cuando caemos en el ciclo de ser víctimas?

APLICACIÓN

✓ El líder orará por quienes no han podido superar alguna situación y han caído en el ciclo de ser víctimas. Atará todo espíritu de manipulación, maltrato, depresión, ilegitimidad, autocompasión y baja autoestima.
✓ Llamará a las personas nuevas para que reciban a Jesús como su Señor y Salvador y desatará un espíritu de victoria, libertad, respeto y dignidad sobre todas las personas.

PACTOS INTERNOS O VOTOS SECRETOS

PASAJE BÍBLICO

Ver el libro de Números 30 que habla de la Ley de los votos

OBJETIVOS

- Conocer el poder de nuestras palabras.
- Romper todo pacto interno que impide la victoria de Cristo en nuestra vida y nuestro llamado.

INTRODUCCIÓN

Generalmente hablamos sin considerar el impacto de nuestras palabras. Éstas tienen gran poder en el mundo espiritual, poder que puede ser positivo o negativo. Al igual que las palabras habladas, las decisiones o votos internos también tienen poder en nuestra vida porque abren o cierran puertas en nuestro futuro. Hoy estudiaremos cómo repercuten esos pactos internos o votos secretos en la vida de una persona.

¿Qué es un pacto interno o voto secreto?

Un pacto interno es un contrato o poder legal hecho por medio de las palabras o los dichos de nuestra boca. Para entender mejor lo que estamos estudiando, veamos los siguientes ejemplos:

- Una mujer fue lastimada por su hermano a tal grado que hizo un pacto consigo misma decretando: "Cuando me case, jamás tendré un hijo varón". Con el tiempo, se casó, y cada vez que quedaba embarazada de un varón, lo perdía (pero no si era niña). Había quedado presa de su voto secreto.

- Un niño, por llorar, fue golpeado duramente por sus padres. Este dolor le llevó a hacer y declarar un voto: "nunca más lloraré". Y en efecto, no derramó una sola lágrima ni en las peores situaciones de su vida; su corazón se endureció. Había quedado preso de su voto secreto.

- Una niña vio a su padre maltratar a su madre e hizo un pacto interno señalando: "Nunca dejaré que mi esposo me controle". Cuando creció y se casó, tuvo graves problemas en su matrimonio porque no podía someterse a su esposo; estaba siempre a la defensiva pensando que podía ser lastimada. Fue presa de su pacto interno.

Un creyente establece pactos con:

- Dios

   "21Cuando haces voto a Jehová tu Dios, no tardes en pagarlo; porque ciertamente lo demandará Jehová tu Dios de ti, y sería pecado en ti". Deuteronomio 23.21

- El prójimo

   "3E hicieron pacto Jonatán y David, porque él le amaba como a sí mismo". 1 Samuel 18.3

- Con uno mismo

  "²Te has enlazado con las palabras de tu boca, y has quedado preso en los dichos de tus labios". Proverbios 6.2

  Enlazar es atar, sujetar, restringir, arrestar, cerrar, ligar, prohibir. Maldecirse uno mismo es igual a ponerse en una prisión o trampa. ¡Las palabras tienen poder! Átese a palabras de bendición y no de maldición.

El poder de las palabras

"²¹La muerte y la vida están en poder de la lengua, y el que la ama comerá de sus frutos". Proverbios 18.21

Poder es la habilidad o la facultad para realizar cualquier acto o hecho con el derecho legal del otorgante.

"³⁶Mas yo os digo que de toda palabra ociosa que hablen los hombres, de ella darán cuenta en el día del juicio". Mateo 12.36

La palabra ociosa es la palabra inútil, infértil, carente de provecho. Las palabras negativas pueden desactivar los dones, finanzas, matrimonio, llamado y todo aquello a lo que nos referimos cuando hablamos.

- La palabra de Dios es Él mismo (la palabra nos da un entendimiento de cómo es Dios).
- Dios empezó la Creación con palabras ("3Y dijo Dios: Sea la luz; y fue la luz". Génesis 1.3).
- Dios usa palabras para establecer sus pactos ("12Por tanto diles: He aquí yo establezco mi pacto de paz...").

El abuso y los pactos internos o votos secretos negativos

El abuso es el elemento que da lugar a los pactos internos negativos. Donde hay abuso de cualquier tipo, existe la tendencia a crear un pacto interno o un voto secreto para defenderse de abusos futuros.

¿Qué dice la Palabra al respecto?

"¹Si yo hablase lenguas humanas y angélicas, y no tengo amor, vengo a ser como metal que resuena, o címbalo que retiñe". 1 Corintios 13.1

Debemos seguir amando, creyendo en la gente y dando. Esa es la voluntad de Dios.

PREGUNTAS FINALES

- ❖ ¿Qué es un pacto interno o un voto secreto?
- ❖ Proporcione tres ejemplos bíblicos que ilustren el poder de las palabras.
- ❖ ¿Por qué las personas hacen pactos o votos secretos negativos?

APLICACIÓN

- ✓ El líder conducirá al grupo a adorar a Dios y a pedir al Espíritu Santo que revele a cada persona si en el pasado realizó un pacto secreto. Luego los guiará a arrepentirse, pedir perdón y perdonar, cancelar y renunciar a pactos internos y a toda palabra ociosa que haya atado sus vidas impidiéndoles relacionarse con Dios y la gente.
- ✓ Posteriormente llamará a las personas nuevas para que reciban a Jesús como su Señor y Salvador.

EL PRINCIPIO DE LA SIEMBRA Y LA COSECHA

PASAJE BÍBLICO

"38Dad, y se os dará; medida buena, apretada, remecida y rebosando darán en vuestro regazo; porque con la misma medida con que medís, os volverán a medir". Lucas 6.38

OBJETIVOS

* Conocer los principios de la siembra y la cosecha, y su importancia de establecerlo como estilo de vida.
* Destacar la necesidad de obedecer a Dios cuando nos mueve a dar lo que Él nos ha dado.
* Aprender a esperar y confiar en el Señor mientras llega la cosecha.

INTRODUCCIÓN

Todos los seres humanos poseen semillas para dar a otros. Muchos cristianos esperan que durante su llamado el Señor los bendiga, les abra puertas, mejore sus finanzas negocios y matrimonios. Sin embargo, no han sabido obedecer su voz cuando les insta a sembrar. Debemos estar dispuestos a empezar con una pequeña semilla para ver la cosecha que esperamos. Vendrá más rápido y abundantemente de lo que habíamos soñado.

Todo ser creado es resultado de una siembra y una cosecha. Dios trabaja con su pueblo y su creación por medio de principios, mandamientos y leyes.

¿Qué es un principio?

Es una guía divina, un entendimiento de los valores eternos que nos dicen cómo actuar correctamente para vivir con prosperidad.

¿Qué es una semilla?

Lo que puede multiplicarse, el comienzo de un gran futuro; un conocimiento que beneficia a otros. Semilla es aquello pequeño que se ha recibido de Dios y que puede dar fruto en algo mayor.

¿Qué es una cosecha?

Es todo aquello que se recoge, material o inmaterial, como resultado de sembrar algo.

1. **Todos los seres humanos poseen semillas en su interior.** La mayor parte de la gente no sabe esto; no tiene idea de cuántas semillas lleva dentro de sí y que pueden ser plantadas en otros. Haga un inventario de las semillas que ya posee y comience a sembrarlas en otros. Cualquier acto de dar que mejore a los demás, es una semilla que producirá frutos.

2. **Toda gran cosecha comienza con una pequeña semilla.** Usted no puede reconocer su cosecha hasta que reconozca su semilla. Tenemos que confesar que nuestra semilla es bendita. Nuestra confesión es el riego para que la semilla crezca y tenga cosecha.

"⁴¹Estando Jesús sentado delante del arca de la ofrenda, miraba cómo el pueblo echaba dinero en el arca; y muchos ricos echaban mucho. ⁴²Y vino una viuda pobre, y echó dos blancas, o sea un cuadrante". Marcos 12.41-42

Dios sabe lo que usted tiene y su obediencia hará que Él lo mire y lo bendiga. La mujer comenzó su cosecha con lo que tenía en su mano. Usted tiene que comenzar su cosecha con una pequeña semilla, la cual ya tiene, porque Dios se la ha dado y está dentro de usted.

¿Cuándo es el tiempo de sembrar su semilla?

- En los momentos de mayor necesidad.

   "¹Después hubo hambre en la tierra, además de la primera hambre que hubo en los días de Abraham; y se fue Isaac a Abimelec rey de los filisteos, en Gerar". Génesis 26.1

- Después de cosechar.

   "¹⁰Y el sumo sacerdote Azarías, de la casa de Sadoc, le contestó: Desde que comenzaron a traer las ofrendas a la casa de Jehová, hemos comido y nos hemos saciado, y nos ha sobrado mucho, porque Jehová ha bendecido a su pueblo; y ha quedado esta abundancia de provisiones". 2 Crónicas 31.10

3. **Siembre esperando un retorno**

- Debemos tener fe para ver la cosecha y recoger el fruto de lo que sembramos.
- Debemos ser dadores sin codicia en el corazón (dar es una señal de que usted le ha ganado a la codicia).
- Toda semilla sufre persecución; por tanto, debemos luchar para alcanzar la cosecha.

Jesús, en Lucas 6.38, prometió dar en abundancia a todos aquellos que dan. ***La clave para recibir su cosecha es aprender a confiar en el Señor.***

PREGUNTAS FINALES

- ❖ ¿Qué es una siembra?
- ❖ Defina qué es una cosecha y cómo recogerla

APLICACIÓN

- ✓ El líder orará para desatar un espíritu de obediencia y paciencia para sembrar semilla buena y cosechar bendición.
- ✓ Luego invitará a cada persona del grupo a traer al altar una semilla de pacto para honrar a Dios.
- ✓ Finalmente hará el llamado para que los visitantes reciban a Jesús como su Señor y Salvador.

PREPARADOS PARA LA GUERRA

PASAJE BÍBLICO

"¹⁰Forjad espadas de vuestros azadones, lanzas de vuestras hoces; diga el débil: Fuerte soy". Joel 3.10

OBJETIVOS

- Animar a las personas a luchar por lo que les pertenece.
- Conocer los puntos básicos para hacer frente a guerras espirituales continuas.

INTRODUCCIÓN

Resulta increíble saber que nos encontramos en constantes guerras, visibles y no, para las que debemos estar preparados. Muchas veces nos preguntamos si sería más fácil pasar estos ataques por alto y dejar que Dios pelee por nosotros. A simple vista lo es, pero no funciona de esa manera; así como existe un mundo natural, también hay uno espiritual. Todo lo que ocurre en lo natural, se prepara primero en lo espiritual. La pregunta entonces es: ¿No es más fácil librar las batallas en el mundo espiritual para obtener las victorias en el mundo natural? Dios está con nosotros; pero nosotros debemos ponernos su armadura y pelear.

Hoy veremos algunos puntos importantes para prepararnos y ganar las constantes batallas de nuestra vida:

- Debemos estar conscientes de que existe una guerra. Una de las armas que el enemigo usa contra los hijos de Dios es, precisamente, hacerles creer que esta guerra no existe. No obstante, si tenemos los oídos abiertos a lo que Dios habla, Él siempre nos va a alertar de lo que sucede, nos dará estrategias y nos protegerá.

  "⁸Tenía el rey de Siria guerra contra Israel, y consultando con sus siervos, dijo: En tal y tal lugar estará mi campamento. ⁹Y el varón de Dios envió a decir al rey de Israel: Mira que no pases por tal lugar, porque los sirios van allí. ¹⁰Entonces el rey de Israel envió a aquel lugar que el varón de Dios había dicho; y así lo hizo una y otra vez con el fin de cuidarse. ¹¹Y el corazón del rey de Siria se turbó por esto; y llamando a sus siervos, les dijo: ¿No me declararéis vosotros quién de los nuestros es del rey de Israel? ¹²Entonces uno de los siervos dijo: No, rey señor mío, sino que el profeta Eliseo está en Israel, el cual declara al rey de Israel las palabras que tú hablas en tu cámara más secreta. ¹³Y él dijo: Id, y mirad dónde está, para que yo envíe a prenderlo. Y le fue dicho: He aquí que él está en Dotán". 2 Reyes 6.8-13

- A la hora de la guerra, no importa quién sea nuestro contrincante, con Dios somos más que vencedores.

  ¹⁴Entonces envió el rey allá gente de a caballo, y carros, y un gran ejército, los cuales vinieron de noche, y sitiaron la ciudad. ¹⁵Y se levantó de mañana y salió el que servía al varón de Dios, y he aquí el ejército que tenía sitiada la ciudad, con gente de a caballo y carros. Entonces su criado le dijo: ¡Ah, señor mío! ¿qué haremos? ¹⁶Él le dijo: No tengas miedo, porque más son los que están con nosotros que los que están con ellos. ¹⁷Y oró Eliseo, y dijo: Te ruego, oh Jehová, que abras sus ojos para que vea. Entonces Jehová abrió los ojos del criado, y miró; y he aquí que el monte estaba lleno de gente de a caballo, y de carros de fuego alrededor de Eliseo". 2 Reyes 6.14-17

- De alguna manera, cuando se efectúa una lucha, hay un contacto "cuerpo a cuerpo", donde se usan todas las partes físicas, habilidades y artimañas disponibles. Por eso la intercesión es algo tan activo (Salmos 144.1-2).
- Para tener éxito en la guerra y no ser presa del enemigo, debemos estar libres de toda falta de perdón.

- Es importante reconocer las armas que como hijos de Dios nos han sido entregadas: el ayuno, la oración, la armadura espiritual, la Palabra de Dios, la sangre y el nombre de Jesús, la ofrenda, entre otros.

- No debemos dejar de orar hasta que obtengamos lo que nos pertenece (Lucas 18.1-5).

- Hay que quitarle todo derecho legal al enemigo, ya sea amargura, maldiciones generacionales o iniquidad. A través de los años de experiencia, hemos visto casos de creyentes bajo ataque, y ellos desconocen porqué. Muchas veces, se debe al derecho legal que el enemigo tiene sobre sus vidas mediante objetos o materiales satánicos (Efesios 4.27). Es por tanto importante que hagamos lo siguiente:

  1. Arrepentirnos de todo pecado.
  2. Recibir liberación para que toda iniquidad, maldición generacional y ataduras sean quitadas.
  3. Limpiar nuestra casa de toda contaminación.

  "8Porque en otro tiempo erais tinieblas, mas ahora sois luz en el Señor; andad como hijos de luz 9(porque el fruto del Espíritu es en toda bondad, justicia y verdad), 10comprobando lo que es agradable al Señor. 11Y no participéis en las obras infructuosas de las tinieblas, sino más bien reprendedlas…". Efesios 5.8-11

Si llegamos a ser conscientes de las constantes guerras y nos preparamos adecuadamente, obtendremos la victoria.

"13Jehová saldrá como gigante, y como hombre de guerra despertará celo; gritará, voceará, se esforzará sobre sus enemigos". Isaías 42.13

PREGUNTAS FINALES

- ❖ ¿Qué beneficio obtenemos cuando ganamos las batallas en el mundo espiritual?
- ❖ ¿Cuáles son los puntos a tener en cuenta al prepararnos para una guerra?
- ❖ ¿Qué papel juega el perdón en una guerra espiritual?
- ❖ ¿Cuáles son algunas de las armas que han sido entregadas a los hijos de Dios?

APLICACIÓN

- ✓ El líder indicará a cada miembro del grupo que escriba las cosas por las cuales debe luchar o entrar en guerra.
- ✓ Luego, en un examen personal, detectará si hay falta de perdón contra alguien y los guiará a perdonar. Así podrán comenzar a hacer guerra y recuperar sus bendiciones.
- ✓ Finalmente hará el llamado para que los visitantes reciban a Jesús como su Señor y Salvador.

EL NOMBRE DE JESÚS

PASAJE BÍBLICO

"¹⁰En ti confiarán los que conocen tu nombre, por cuanto tú, oh Jehová, no desamparaste a los que te buscaron".
Salmo 9.10

OBJETIVOS

* Lograr un conocimiento profundo de la relación entre el hombre y su Creador.
* Conocer el poder que tiene el nombre de Jesús y el beneficio de usarlo con la autoridad que Él nos dio.

INTRODUCCIÓN

Los planes de Dios para nosotros son enormes y van más allá de lo que podemos imaginar; tanto, que nuestra propia vida no le es suficiente para cumplirlos. Debido al poco conocimiento que tienen los creyentes acerca del poder que hay en declarar el nombre de Jesús, no han logrado obtener lo que Dios ha establecido que les pertenece. Dios está buscando hombres y mujeres como usted, que crean en el poder que Él, por medio de su hijo Jesús, nos ha dado para que las cosas que ganemos en lo espiritual se cumplan en lo natural.

Una de las armas que Jesús nos entregó fue el poder de su nombre. Todo lo que está en el cielo, la tierra y debajo de la tierra tiene nombre, y el de Jesús está por encima de todos. Para muchos, sin embargo, esta revelación resulta indiferente, actitud que Satanás ha aprovechado para atacarnos con toda libertad.

"⁹Por lo cual Dios también le exaltó hasta lo sumo, y le dio un nombre que es sobre todo nombre, ¹⁰para que en el nombre de Jesús se doble toda rodilla de los que están en los cielos, y en la tierra, y debajo de la tierra...".
Filipenses 2.9-10

¿Qué significa el nombre de Jesús?

Del hebreo *Yeshúa*, Jesús significa Jehová es Salvación. En el Nuevo Testamento **salvación** es la traducción griega *sotéria* que significa salvación, sanidad, liberación, protección, prosperidad, fortaleza y seguridad. Dios vive en el eterno presente, como su nombre, *"Yo Soy el que Soy"*. El nombre de Jesús, al ser pronunciado con fe, desata poder, ya que toda la herencia de los cielos está sobre Él. Jesús es y tiene todo lo que su nombre implica.

¿Cómo aplicamos el nombre de Jesús en la oración?

"¹³Y todo lo que pidiereis al Padre en mi nombre, lo haré, para que el Padre sea glorificado en el Hijo. ¹⁴Si algo pidiereis en mi nombre, yo lo haré". Juan 14.13-14

Toda oración dirigida al Padre, que esté alineada con la Palabra, y hecha en el nombre de Jesús, será contestada. La traducción de la Biblia Amplificada dice: *¹³Y Yo haré (yo mismo concederé) lo que pidas en mi nombre (presentando todo lo que soy), para que el Padre sea glorificado y exaltado en (y por medio de) el Hijo. ¹⁴Sí, yo concederé (yo mismo haré por ti) lo que pidiereis en mi nombre (presentando todo lo que soy)."*

¿Quién tiene derecho legal o autoridad para usar el nombre de Jesús?

Todo creyente nacido de nuevo tiene derecho legal para usar el nombre que es sobre todo nombre. Dios le dio a la iglesia, para su propio beneficio, el nombre de Jesús, lo cual incluye echar fuera demonios, sanar a los enfermos, destruir las obras del enemigo y mucho más.

"¹²Mas a todos los que le recibieron, a los que creen en su nombre, les dio potestad de ser hechos hijos de Dios...". Juan 1.12

¿Qué debemos hacer para desatar el poder que está en el nombre de Jesús?

1. **Resistir al diablo**. ¿Cómo lo hacemos? Sometiéndonos a Dios.

   "⁸Sed sobrios, y velad; porque vuestro adversario el diablo, como león rugiente, anda alrededor buscando a quien devorar; ⁹al cual resistid firmes en la fe, sabiendo que los mismos padecimientos se van cumpliendo en vuestros hermanos en todo el mundo". 1 Pedro 5.8, 9

2. **Vivir en santidad**. La palabra **santo** significa apartado para Dios (no es perfección, porque nadie es perfecto). Si estamos apartados para Dios, quiere decir que vivimos alejados de las cosas del mundo, tenemos una conciencia limpia y estamos atentos a lo que nos demanda el Espíritu Santo. Cuando usted hace algo que no le agrada a Dios, ¿no hay algo en su interior que le incomoda? Eso es el Espíritu Santo apelando a su conciencia.

   "¹⁵No améis al mundo, ni las cosas que están en el mundo. Si alguno ama al mundo, el amor del Padre no está en él. ¹⁶Porque todo lo que hay en el mundo, los deseos de la carne, los deseos de los ojos, y la vanagloria de la vida, no proviene del Padre, sino del mundo". 1 Juan 2.15-16

3. **Vivir por fe**. Esto se establece cuando declaramos, con fe, que lo que pedimos será hecho. También cuando estamos a la expectativa de una respuesta y realizamos una acción correspondiente.

   "⁴Porque todo lo que es nacido de Dios vence al mundo; y ésta es la victoria que ha vencido al mundo, nuestra fe. ⁵¿Quién es el que vence al mundo, sino el que cree que Jesús es el Hijo de Dios?". 1 Juan 5.4-5

   Usted es un espíritu con Jesús y, cuando vive en su nombre, es carne de su carne y hueso de sus huesos. *"¹¹Pero alégrense todos los que en ti confían; den voces de júbilo para siempre, porque tú los defiendes; en ti se regocijen los que aman tu nombre". Salmo 5.11*

PREGUNTAS FINALES

❖ ¿Qué significa el nombre de Jesús?
❖ ¿Quién tiene derecho legal o autoridad para usar el nombre de Jesús?
❖ ¿Por qué razón nuestras oraciones deben ir "firmadas" con el nombre de Jesús?

APLICACIÓN

✓ El líder guiará a las personas a comprometerse a vivir en santidad y orará, en el nombre de Jesús y la autoridad que tiene, por sus necesidades.
✓ Luego llamará a los visitantes para que reciban a Jesús y transformen sus vidas y circunstancias en el poder de su nombre.

LOS MALOS PENSAMIENTOS

PASAJE BÍBLICO

"8Por lo demás, hermanos, todo lo que es verdadero, todo lo honesto, todo lo justo, todo lo puro, todo lo amable, todo lo que es de buen nombre; si hay virtud alguna, si algo digno de alabanza, en esto pensad". Filipenses 4.8

OBJETIVOS

- Entender el origen de nuestras acciones y aprender a ponerle fin a los malos pensamientos.

INTRODUCCIÓN

Si Dios espera que llevemos una vida pura, ¿por qué hay tanto pecado en el mundo y en las iglesias? Porque nuestra mente está contaminada: el medio que nos rodea la bombardea con ideas e imágenes que incitan a pecar. Es terrible ver matrimonios destruidos, hijos en rebeldía y creyentes apartados por lo que se les cultivó en sus mentes. La medicina puede sanar afficciones físicas, pero sólo Dios puede sanar la mente, el alma y el corazón.

¿Cómo llegan los malos pensamientos? El enemigo envía malos pensamientos a la mente como "dardos de fuego". Planta esas semillas, las cuales crecen cuando mental y emocionalmente las entretenemos.

¿Qué debemos hacer con los malos pensamientos? Debemos llevarlos cautivos a la obediencia en Cristo.

"4...porque las armas de nuestra milicia no son carnales, sino poderosas en Dios para la destrucción de fortalezas, 5derribando argumentos y toda altivez que se levanta contra el conocimiento de Dios, y llevando cautivo todo pensamiento a la obediencia a Cristo...". 2 Corintios 10.4-5

Los malos pensamientos impiden el progreso y destruyen la moral; son tan peligrosos como el mismo acto de pecado y son el preámbulo de las acciones venideras. Por eso fue que Jesús enseñó:

"27Oísteis que fue dicho: No cometerás adulterio. 28Pero yo os digo que cualquiera que mira a una mujer para codiciarla, ya adulteró con ella en su corazón". Mateo 5.27, 28

Si bien los que nos rodean no pueden saber lo que estamos pensando, Dios sí lo sabe. Lo mismo es pecado entretener pensamientos y deseos sucios como hacer algo sucio. Todo acto pecaminoso comienza con un mal pensamiento.

¿Por qué no debemos entretener malos pensamientos?

1. **Alguien sabe lo que pensamos.** Dios conoce todos nuestros pensamientos, no podemos esconderlos de Él.

    "2Tú has conocido mi sentarme y mi levantarme; has entendido desde lejos mis pensamientos". Salmos 139.2

    Mejor es confesárselos, pedir la gracia de Jesús para desechar lo malo y pensar con pureza tal como lo hacía Él.

"¹⁵Porque no tenemos un sumo sacerdote que no pueda compadecerse de nuestras debilidades, sino uno que fue tentado en todo según nuestra semejanza, pero sin pecado. ¹⁶Acerquémonos, pues, confiadamente al trono de la gracia, para alcanzar misericordia y hallar gracia para el oportuno socorro". Hebreos 4.15-16

2. Seremos lo que pensamos.

Somos lo que pensamos. Por eso, cada vez que venga un mal pensamiento (de odio, venganza, envidia o contienda) debemos abortarlo de inmediato. La mente es la placenta del espíritu, esto es, lo nutre y lo sostiene; por lo tanto, lo que se siembre en aquélla dará a luz en éste. Debemos limpiarnos de pensamientos de sexo ilícito, baja autoestima, orgullo, arrogancia, envidia, juicio, crítica, y otros que nos hacen mal. Usted no necesita que un famoso predicador le ministre y le imponga manos para ganar la batalla de la mente; necesita desarrollar una disciplina interior. Cuando el enemigo le envía tentaciones por medio de pensamientos a su mente, empieza el ciclo de la tentación.

Ciclo de la tentación: Atracción–Seducción–Concepción–Consumación–Muerte

Si una persona es atraída por su propia concupiscencia se sentirá seducida y comenzará a jugar con malos pensamientos en vez de reprenderlos. Éstos se establecerán en su mente y traerá la concepción del pecado (embarazo). Luego de esta etapa vendrá la consumación del pecado, que es el acto físico en sí, y terminará en muerte espiritual o incluso física.

Pasos para prevenir los malos pensamientos y vivir con una mente pura y limpia:

- Dominar los pensamientos. No podemos dejarnos controlar ni ser atraídos por ellos (Jeremías 6.19).

- Cortar y arrepentirnos de esos malos pensamientos. Debemos romper el ciclo de la tentación.

- Activar un ciclo de nuevos pensamientos de vida. Deben conducirnos a agradar a Dios con nuestra mente. Con la ayuda al Espíritu Santo, tenemos que dejar atrás todo lo que nos conduce a pecar (*Filipenses 4.8*).

PREGUNTAS FINALES

- ❖ ¿Cómo llegan los malos pensamientos?
- ❖ ¿Por qué razón no podemos jugar con los malos pensamientos?
- ❖ ¿Cuál es el ciclo de la tentación?

APLICACIÓN

- ✓ El líder orará para que los miembros del grupo renuncien a los malos pensamientos (que traen pecado, oscuridad y perdición) y los lleven cautivos a la obediencia a Cristo; luego los guiará a hacer un pacto con Dios de mantener una mente pura y limpia.
- ✓ Finalmente, hará el llamado a los invitados para que reciban a Jesús como su Señor y Salvador.

EL TESTIMONIO VENCE TODO ARGUMENTO

PASAJE BÍBLICO

"¹¹Respondió él y dijo: Aquel hombre que se llama Jesús hizo lodo, me untó los ojos, y me dijo: Ve al (estanque de) Siloé, y lávate; y fui, y me lavé, y recibí la vista". Juan 9.11 (Énfasis agregado).

OBJETIVOS

- Aumentar, a través del poder del testimonio de aquellos que han sido sanados, la fe de quienes están enfermos.
- Hacer señales de sanidad para que los que no son salvos crean y acepten al Señor Jesús.

INTRODUCCIÓN

Era un día de reposo, un sábado, y Jesús caminaba con sus discípulos por las calles de la ciudad; de repente vio a un ciego de nacimiento, sentado al costado del camino, mendigando. Jesús vio la oportunidad de que las obras del Padre fueran manifestadas y su nombre glorificado. Se detuvo, escupió en la tierra y, con el lodo que se formó, untó los ojos del ciego. Luego lo envió al estanque a lavarse. El ciego obedeció; fue al estanque, se lavó los ojos y regresó viendo.

Testimonio vs. Argumento

Los religiosos de aquel tiempo, en vez de glorificar a Dios por semejante milagro, llevaron al hombre delante de los fariseos del templo para interrogarlo cómo había sido sanado en sábado, día de reposo judío. Ante las preguntas, el hombre sólo se limitó a repetir su testimonio. Él no sabía de dogmas, reglas o condiciones, ni de días especiales para recibir un milagro; sólo sabía que era ciego y que Jesús le había dado la vista que nunca tuvo.

"¹³Llevaron ante los fariseos al que había sido ciego. ¹⁴Y era día de reposo cuando Jesús había hecho el lodo, y le había abierto los ojos. ¹⁵Volvieron, pues, a preguntarle también los fariseos cómo había recibido la vista. El les dijo: Me puso lodo sobre los ojos, y me lavé, y veo. ¹⁶Entonces algunos de los fariseos decían: Ese hombre no procede de Dios, porque no guarda el día de reposo. Otros decían: ¿Cómo puede un hombre pecador hacer estas señales? Y había disensión entre ellos". Juan 9.13-16

La mente religiosa de los fariseos no les permitía ver lo que presenciaban: la manifestación visible del poder de Dios en la Tierra. Tenían ojos, pero no podían ver. Como el testimonio del hombre era irrefutable, comenzaron a acusarle de que nunca había sido ciego y, para comprobar esto, llamaron a sus padres:

"¹⁹...y les preguntaron, diciendo: ¿Es éste vuestro hijo, el que vosotros decís que nació ciego? ¿Cómo, pues, ve ahora? ²⁰Sus padres respondieron y les dijeron: Sabemos que éste es nuestro hijo, y que nació ciego; ²¹pero cómo vea ahora, no lo sabemos; o quién le haya abierto los ojos, nosotros tampoco lo sabemos; edad tiene, preguntadle a él; él hablará por sí mismo". Juan 9.19-21

Preguntando otra vez al hombre acerca de cómo había recibido la vista, él les relató de nuevo, y como los fariseos seguían en su empeño de poner a Jesús como un pecador por violar el día de reposo, el que era ciego se cansó y cerró el caso respondiendo así:

"30...Pues esto es lo maravilloso, que vosotros no sepáis de dónde sea, y a mí me abrió los ojos. 31Y sabemos que Dios no oye a los pecadores; pero si alguno es temeroso de Dios, y hace su voluntad, a ése oye. 32Desde el principio no se ha oído decir que alguno abriese los ojos a uno que nació ciego. 33Si éste no viniera de Dios, nada podría hacer". Juan 9.30-33

En conclusión, un argumento (como el de los fariseos) siempre será derribado por el poder de un testimonio real, tangible e irrefutable. Quien había sido ciego toda su vida, ahora veía y nadie podía negarlo. Él no podía dar mayores explicaciones de cómo, por qué o de qué manera, pero su evidencia era innegable: fue ciego toda su vida, se encontró con Jesús y ahora veía.

En nuestra iglesia, y alrededor del mundo (con las cruzadas de sanidad y milagros), tenemos miles de testimonios irrefutables del poder de Jesús para sanar. Él es capaz de sanar a los enfermos en cualquier día, hora y lugar. Él quiere sanar a aquellos que están enfermos. No importa si el médico le dijo que ya no hay tiempo para usted, si su enfermedad es irreversible y ya no hay nada qué hacer. Jesús sana en todo momento y circunstancia; su poder no está sujeto a tiempos humanos ni a reglas o diagnósticos médicos.

PREGUNTAS FINALES

❖ ¿Cree usted que Jesús es el mismo ayer, hoy y por siempre?
❖ ¿Tiene usted un testimonio que pueda servir de bendición a quienes le conocen?
❖ ¿Alguna vez se ha atrevido a compartir un testimonio de lo que Dios ha hecho por usted?

APLICACIÓN

✓ El líder invitará a las personas que han sido sanadas por el Señor a dar testimonio para fortalecer la fe de quienes en el grupo necesiten un milagro.

✓ Luego orará directamente por cada enfermo y desatará palabra de sanidad para quienes no están presentes pero que necesitan un milagro.

LA ABUNDANCIA POR MEDIO DEL PACTO

PASAJE BÍBLICO

"20...creed en Jehová vuestro Dios, y estaréis seguros; creed a sus profetas, y seréis prosperados". 2 Crónicas 20.20 (1 Reyes 17.8-16).

OBJETIVOS

- Entender que para recibir abundancia debemos primero aprender a escuchar la voz de Dios.
- Aprender los secretos para producir cosecha en nuestras vidas.

INTRODUCCIÓN

Muchas personas siguen experimentando dificultades en sus matrimonios, finanzas, área de trabajo o familias. Esto es por falta de revelación de la Palabra que nos promete abundancia plena. ¿Qué debemos hacer para recibirlo? Creer a Dios, a su Palabra y a los beneficios de establecer un pacto con Él.

¿Qué es un pacto?

Un pacto es un acuerdo formal y firme que no se puede romper; es un contrato entre dos personas. Antes de hacer un pacto con Dios, debemos reconocer que Él es el dueño de todo lo que poseemos y tiene derecho de hacer lo que quiera con lo suyo. Entregarle todo a Dios activa la ley de la multiplicación. ¿Qué significa? ¡Que todo lo que pactamos u ofrecemos a Dios se nos multiplica!

¿Qué necesitamos para que nuestro pacto obtenga una cosecha?

1. **Tener una palabra profética de Dios o recibir la revelación de sus promesas.**

    Antes de hacer un pacto con Dios (en este caso en el área de finanzas) necesitamos recibir una Palabra de Dios (bíblica, profética o en intimidad). Segundo, tenemos que obedecerla. Tercero, debemos declarar por fe y estar a la expectativa de aquello que esperamos recibir al hacer el pacto con Dios. Al cumplir esto, podemos sentirnos seguros de que Dios proveerá.

    No podemos esperar que Dios nos solucione los problemas si nos arriesgamos o tomamos una decisión antes de presentarle nuestros planes. Muchos compran casa, vehículo o se comprometen en negocios que Dios nunca les confirmó; por eso no salen de los problemas. En el pasaje bíblico leímos que Dios le dijo a Elías que fuera a Sarepta y que confiara, porque allí Él le iba a proveer. Elías obedeció, y por eso Dios le proveyó.

2. **Para que nuestro pacto obtenga una cosecha, debemos estar dispuestos a obedecer.**

    "15Entonces ella fue e hizo como le dijo Elías; y comió él, y ella, y su casa, muchos días"'. 1 Reyes 17.15

    La obediencia consiste en oír y después hacer. La viuda hizo de acuerdo a la palabra del profeta y Dios honró su obediencia.

¿Qué sucede cuando creemos la palabra de un profeta? Cuando creemos la palabra de Dios traída por un profeta, podemos estar seguros de que seremos prosperados en aquello que pactamos, porque Dios es un Dios de pactos y fiel a su palabra.

"20Y cuando se levantaron por la mañana, salieron al desierto de Tecoa. Y mientras ellos salían, Josafat, estando en pie, dijo: Oídme, Judá y moradores de Jerusalén. Creed en Jehová vuestro Dios, y estaréis seguros; creed a sus profetas, y seréis prosperados". 2 Crónicas 20.20

3. **Debemos dar algo de valor que nos cueste mucho para que nuestro pacto obtenga una cosecha.**

"12Y ella respondió: Vive Jehová tu Dios, que no tengo pan cocido; solamente un puñado de harina tengo en la tinaja, y un poco de aceite en una vasija; y ahora recogía dos leños, para entrar y prepararlo para mí y para mi hijo, para que lo comamos, y nos dejemos morir". 1 Reyes 17.12

- Lo único que la viuda tenía era un poco de harina y aceite. Esto era algo de mucho valor para ella, pues al darlo al profeta corría el riesgo de morir de hambre junto con su hijo.

- El valor de un regalo no está en su costo monetario, sino en el valor que tiene para usted en ese momento.

- Dios espera que le demos una ofrenda de adoración con sacrificio; ésta debe costarnos al darla.

- Lo que más nos cuesta dar es aquello que amamos, que nos gusta, que no queremos entregar o, en definitiva, que consideramos importante para continuar viviendo.

Ilustración: Usar ilustraciones personales de las cosas de valor que le hemos entregado a Dios, y cómo éstas han traído bendición a su vida. Estas cosas pueden ser relojes, carros, ropa, dinero, etcétera.

PREGUNTAS FINALES

- ❖ ¿Qué es un pacto?
- ❖ ¿Qué se necesita para que nuestro pacto obtenga una cosecha?
- ❖ ¿Qué sucede cuando creemos la palabra de un profeta?

APLICACIÓN

- ✓ El líder invitará a una o dos personas a dar un testimonio personal del resultado de un pacto que hayan hecho con Dios.
- ✓ Luego orará para que Dios ponga en el corazón de cada miembro del grupo el deseo de pactar algo que ellos consideran importante o vital para sus vidas; les recordará que, al momento de pactar, también deberán especificar lo que desean o necesitan de Dios como resultado de este pacto.

MUJER DE EXCELENCIA

PASAJE BÍBLICO

"⁴...sino el interno, el del corazón, en el incorruptible ornato de un espíritu afable y apacible, que es de grande estima delante de Dios". 1 Pedro 3.4

OBJETIVOS

- Animar a las mujeres a alcanzar, mediante la excelencia divina, el propósito de Dios para sus vidas.
- Identificar algunas razones por las cuales no podemos alcanzar una verdadera excelencia.

INTRODUCCIÓN

Dios ha creado a cada mujer de una manera única, con cualidades que la hacen especial. Sin embargo, la sociedad de hoy se ha encargado de distorsionar esa imagen al promover los supuestos de una mujer excepcional. El carácter de la mujer íntegra se conoce comparando lo que demuestra ser con lo que es verdaderamente. Sus valores morales impactan su entorno familiar y social. En la Biblia podemos observar varios ejemplos de mujeres excepcionales que marcaron la diferencia, tales como Débora, Abigail, Ester o Rut. Cuando se habla de excelencia se piensa que es perfección y por eso lo ven imposible, pero no es así. Como hijas de Dios debemos sobrepasar los estándares que la sociedad marca con las virtudes divinas.

¿Qué es excelencia?

La excelencia es la virtud divina que nos hace ir más allá de lo normal, sobrepasar lo regular, ser superior en calidad de carácter y en el desarrollo de habilidades. Dios ha puesto potencial en cada mujer y quiere que lo desarrolle al máximo. Este potencial puede categorizarse de dos maneras: 1) el potencial que Dios da para ser un determinado tipo de persona, y 2) el potencial que Dios da para hacer su voluntad.

Cuando hablamos de una mujer de excelencia nos referimos a integridad ~~moral~~ como persona y en sus acciones. Es importante hacer, pero también es importante ser. Es necesario por tanto hacer uso de la paternidad que Dios ha puesto en cada mujer, la que se obtiene buscándolo.

¿Qué es lo que Dios quiere de usted? ¿Algo anormal que ni la gente ni usted entienden? Pareciera así, porque si Dios lo tiene planificado significa que ya le dio el potencial necesario para desarrollarlo; esto no deja de ser un reto frente a las presiones externas, familiares y sociales a las que nos enfrentamos. A veces estas presiones nos impulsan a obtener una excelencia que no tiene nada que ver con el plan de Dios. ¿Qué nos impide alcanzar la verdadera excelencia?

1. Buscar una excelencia que no es bíblica.

Significa afanarse por cosas materiales (posesiones, ropa, dinero) antes que espirituales. Es obtener lo que se quiere por medio de la competencia, usando a las personas. La prioridad debe ser amar a Dios con todo el corazón, ya que nada ni nadie puede ocupar el lugar de Dios o su llamado en nosotros.

2. **Perder el enfoque del propósito de Dios.**

El mundo de hoy le da a la mujer alternativas que la desenfocan de Dios, por ejemplo:

- Demorarse para ser madre.
- La alternativa del aborto.
- Divorciarse por cualquier motivo.
- No someterse al esposo.

Por seguir estas prioridades muchas mujeres continúan vacías y solas; no están totalmente felices; no les importa el hogar, la familia ni Dios.

3. **El perfeccionismo malentendido.**

La excelencia en Dios y el perfeccionismo no son lo mismo. Describamos a una persona perfeccionista:

- Nada ni nadie la complace o satisface.
- Es meticulosa acerca de los pequeños detalles.
- Aunque haya hecho algo muy bien, le queda el sentimiento de haber podido hacerlo mejor.
- Los perfeccionistas tienen estándares tan altos que cuando fallan se deprimen y sufren baja autoestima.

La mujer de excelencia entiende que debe ser realista y que las cosas no siempre salen como las espera. Sabe que las personas pueden cometer errores, lo cual les permite tener relaciones sanas.

4. **El complejo de inferioridad.**

La persona que duda de su propio valor está en constante peligro de tensión y frustración. Lo que hacemos y tenemos no determina nuestro valor.

5. **La falta de un modelo en nuestra vida.**

La gente tiene mucha confusión acerca del papel de la mujer en su entorno, de lo que debe y no debe hacer. El mensaje que el mundo está enviando hoy día es muy egoísta: mis derechos, mis metas, mis éxitos, mi cuerpo. Por tal motivo, necesitamos mujeres de Dios que sirvan de modelo a aquellas que están a su alrededor para levantar mujeres de excelencia, tal como Dios las creó.

PREGUNTAS FINALES

- ❖ ¿Qué es la excelencia?
- ❖ ¿Con qué propósito Dios ha colocado el potencial en la mujer?
- ❖ ¿Qué tiene que ver la excelencia con las prioridades?
- ❖ ¿Cómo es una persona perfeccionista?

APLICACIÓN

- ✓ El líder orará por todas las mujeres presentes para que puedan llegar a ser mujeres de excelencia. Echará fuera todo espíritu de falsa excelencia.
- ✓ Luego hará el llamado para que las personas que no conocen a Jesús lo reciban como su Señor y Salvador.

UN LLAMADO A LA PUREZA

PASAJE BÍBLICO

"⁴El limpio de manos y puro de corazón; el que no ha elevado su alma a cosas vanas, ni jurado con engaño. ⁵Él recibirá bendición de Jehová, y justicia del Dios de salvación". Salmo 24.4-5

OBJETIVOS

- Crear conciencia sobre la importancia de evitar la contaminación de nuestras mentes y corazones.
- Despertar pasión por vivir en santidad para Dios.

INTRODUCCIÓN

Muchas personas permiten que sus mentes y corazones sean contaminados con la mentira de que podemos ser salvos aún viviendo en el pecado. El sacrificio de Jesús nos dio acceso al lugar santísimo y al Padre, quien es Santo y Puro. Él hoy nos llama a la pureza y la santidad. Jesús nos enseñó: *"Sed santos como Yo soy santo".*

¿Qué es la contaminación?

Contaminar es profanar o llevar impureza a algo puro; es referirse a algo que es santo como si fuera común; es manchar o ensuciar; es corrupción moral de carne o de espíritu.

"¹Así que, amados, puesto que tenemos tales promesas, limpiémonos de toda contaminación de carne y de espíritu, perfeccionando la santidad en el temor de Dios". 2 Corintios 7.1

¿Quiénes están propensos a la contaminación?

"⁷Pero no en todos hay este conocimiento; porque algunos, habituados hasta aquí a los ídolos, comen como sacrificado a ídolos, y su conciencia, siendo débil, se contamina". 1 Corintios 8.7

Los de conciencia débil son propensos a la contaminación. La conciencia débil es falta de madurez espiritual. Muchos creen que es suficiente con ir a la iglesia una vez a la semana. Sin embargo, esto demora el crecimiento espiritual y debilita la voluntad. Es por esto que, al venir la carnada o trampa del enemigo, caemos en pecado.

¿Qué clase de pecados son los que contaminan?

Los pecados sexuales son los que contaminan porque se ejecutan con la mente, el cuerpo y el espíritu. Cuando una persona tiene relaciones sexuales con otra, fuera del matrimonio (ya sea en fornicación o adulterio), contamina su mente, su corazón y su alma con todo lo que la otra persona tiene, generando así "ataduras del alma".

¿Cuál es el órgano que contamina al hombre? La lengua.

"⁶Y la lengua es un fuego, un mundo de maldad. La lengua está puesta entre nuestros miembros, y contamina todo el cuerpo, e inflama la rueda de la creación, y ella misma es inflamada por el infierno". Santiago 3.6

¿Cuál es la consecuencia de la falta de santidad? Nos aparta de Dios.

"15Mirad bien, no sea que alguno deje de alcanzar la gracia de Dios; que brotando alguna raíz de amargura, os estorbe, y por ella muchos sean contaminados..." Hebreos 12.15

Una razón por la cual Dios creó al hombre fue disfrutar una relación íntima con él. Sin embargo, cuando Adán y Eva pecaron, esa relación fue interrumpida. El pecado levantó una barrera entre un Dios santo y la humanidad. Por eso fue necesario tomar la decisión de invitar a Cristo a morar en nuestros corazones. Esto quita la barrera del pecado y permite disfrutar de una relación preciosa con Dios, nuestro creador. Sin embargo, el pecado siempre está a la puerta. El diablo sabe de qué lado "cojeamos" o estamos débiles o ciegos, y por ese lado tratará de hacernos caer.

¿Qué es la pureza?

La palabra **pureza** significa libre de contaminación, libre de toda mezcla con el mal y juzgado a la luz del sol. Muchas veces nos preguntamos por qué tenemos que experimentar momentos difíciles. Indudablemente, muchos de estos momentos son causados por malas decisiones; pero otros, son permitidos por Dios para tratar con nosotros y hacernos recapacitar acerca de nuestras acciones y actitudes para, entonces, recibir la bendición.

¿Quiénes verán a Dios?

"3¿Quién subirá a la montaña del Señor? ¿Quién entrará en su santo lugar? 4Aquel que tiene manos santas y corazón puro, el que no ha elevado su alma a la falsedad ni a lo que es falso o vano, y el que no ha jurado con engaño. 5Éste recibirá la bendición del Señor y justicia del Dios de su salvación". Salmo 24.4 (Biblia amplificada).

¿Qué hace Dios para purificarnos?

Así como el fuego que arde intensamente y elimina las impurezas del oro para convertirlo en un metal de gran valor, de esa misma forma Dios nos purifica por medio del fuego para eliminar las impurezas de nuestras acciones y pensamientos; de esta manera, Dios permite que experimentemos momentos difíciles para llevarnos al arrepentimiento y vivamos en santidad. Sólo cuando vivamos en pureza y santidad, podremos ver a Dios.

PREGUNTAS FINALES

- ❖ ¿Qué clase de pecados nos contaminan?
- ❖ ¿Cuál es la consecuencia del pecado?
- ❖ ¿Qué hace Dios para purificarnos?

APLICACIÓN

- ✓ El líder dará un momento para que el grupo reflexione acerca del pecado en su vida y lo guiará a pedir perdón al Señor para ser reconciliados.
- ✓ Luego llamará a las personas que no conocen a Dios y cuyo pecado los separa del Padre. Los invitará a recibir a Jesús como su Señor y Salvador.

PARA CUALQUIER LUGAR MENOS PARA ATRÁS

PASAJE BÍBLICO

"⁶²Y Jesús le dijo: Ninguno que poniendo su mano en el arado mira hacia atrás, es apto para el reino de Dios". Lucas 9.62

OBJETIVOS

* Dejar atrás el pasado y encaminarse hacia un futuro glorioso en Dios.
* Entender que nuestro propósito se obtiene a través del servicio.

INTRODUCCIÓN

Nuestra vida es preciosa, pero podemos pasar sin disfrutarla si perdemos cuidado. Por eso debemos guardar nuestra forma de vivir, esforzarnos en agradar a Dios y no a los hombres. Muchos de nosotros perdemos el tiempo pensando en situaciones que no podemos cambiar; lamentamos el tiempo perdido o deseamos retroceder para cambiar nuestras actuales circunstancias. Constantemente luchamos con el pasado y culpamos a una situación o persona por nuestros dolores o fracasos, cuando en realidad deberíamos mirar hacia el futuro que Dios nos promete. Él ha determinado que tendremos abundancia de bendiciones, sí y sólo si:

* Dejamos de mirar atrás y aceptamos que no podemos cambiar el pasado.
* Admitimos que podemos cambiar nuestro futuro.
* Asumimos que la depresión, las heridas, los fracasos y las finanzas perdidas son cosas del pasado.
* Declaramos y creemos que Jesús llevó todas nuestras enfermedades.
* Confiamos que nuestros pasos están ordenados por Dios y nuestro futuro asegurado en Cristo.
* Confiamos que contamos con unción y propósito para llevar a cabo el plan de Dios a nuestra vida.
* Nos apropiamos en nuestra mente y corazón que todo lo podemos en Cristo que nos fortalece.

Dejar el pasado para el verdadero llamado.

²⁶Entonces la mujer de Lot miró atrás, a espaldas de él, y se volvió estatua de sal". Génesis 19.26

Al apegarse al pasado, la esposa de Lot desobedeció el mandato de Dios y perdió su vida. Si no aprendemos a desprendernos del pasado, nunca veremos nuestro futuro. Debemos mantener nuestra mirada puesta al frente.

"¹²... es el tiempo de buscar a Jehová, hasta que venga y os enseñe justicia". Oseas 10.12

Es tiempo de buscar a Dios de todo corazón; indagar y buscar su favor hasta que nos enseñe lo correcto y nos muestre el camino por el cual andar. Mientras realizamos la búsqueda en oración, debemos continuar haciendo lo que se espera de nosotros sin mirar al pasado. Eliseo trabajó la tierra hasta que Elías pasó junto a él y le puso su manto. ¿Qué precio tuvo que pagar para obtener el manto?

"¹⁹Partiendo él de allí, halló a Eliseo hijo de Safat, que araba con doce yuntas delante de sí, y él tenía la última. Y pasando Elías por delante de él, echó sobre él su manto... ²¹Y se volvió, y tomó un par de bueyes y los mató, y con

el arado de los bueyes coció la carne, y la dio al pueblo para que comiesen. Después se levantó y fue tras Elías, y le servía". 1 Reyes 19. 19, 21

Para seguir a Elías, Eliseo tuvo que cortar con su pasado. Matar los bueyes, cocer la carne y repartirla entre la gente del pueblo representaba el llamado o responsabilidad que tenía hasta ese momento; pero entendió que debía terminar con los puentes de su pasado para pasar a su siguiente llamado. Eliseo escogió romper y siguió a Elías.

¿Qué debemos hacer para seguir a Dios?

- Entender que sólo Dios puede conectarnos con la persona correcta, el ministerio y el lugar correctos.
- Atrevernos a seguir a Dios dondequiera que Él nos lleve.
- Aprender a servir a un hombre y no a la unción de ese hombre.

Muchos sirven y van tras la unción de un hombre, en lugar de servir al hombre de Dios. Se necesita la guía y la impartición de alguien para llegar al destino. Eliseo entendió que Elías lo llevaría a su destino y dejó de ser una persona común para ser un siervo. No miró atrás y miró con fe a su futuro y supo llegar.

Etapas que pasó Eliseo para mirar a su futuro y recibir la unción de Elías:

1. **Gilgal:** significa círculo de piedras, lugar de circuncisión (Dios quita la carne de nuestro corazón). Es donde nos arrepentimos y somos bautizados. Aquí aprendemos por fe y a cumplir los mandatos de Dios.

2. **Betel:** es casa de Dios; lugar donde escuchamos de Él y recibimos revelación.

3. **Jericó:** significa fragancia; es donde se ora y adora a Dios. Es lugar de batalla donde las fortalezas son tomadas. Allí peleamos por lo que nos pertenece.

4. **Jordán:** quiere decir "el que desciende". Es el camino a la exaltación por medio de la humildad, la imagen de la muerte y la transición. Es importante saber que hasta que no estemos listos a morir a nosotros mismos, no se nos dará el verdadero manto. ¡El Jordán nos costará todo!

   "⁹... Elías dijo a Eliseo: Pide lo que quieras que haga por ti, antes que yo sea quitado de ti. Y dijo Eliseo: Te ruego que una doble porción de tu espíritu sea sobre mí. ¹⁰Él le dijo: Cosa difícil has pedido. Si me vieres cuando fuere quitado de ti, te será hecho así; mas si no, no". 2 Reyes 2.9-10

¿Cuál es el secreto para dejar de lamentarnos por el pasado o lo que no pudo ser? Como dice Pablo, extendernos a lo que está adelante, enfocarnos en el propósito de Dios y sirviendo a la visión para convertirnos en *Eliseos* con la doble porción de unción. ¡Quema tu pasado y dile al diablo: "nunca volveré atrás!

PREGUNTAS FINALES

❖ ¿Qué debemos cumplir para obtener la abundancia de bendiciones prometida por Dios?
❖ ¿Qué tenía que hacer Eliseo para poder seguir a Elías?

APLICACIÓN

✓ El líder guiará al grupo a orar para que cada persona renuncie a su pasado, perdone a otras personas, se perdone a sí mismo y acepte el perdón de Dios.
✓ Luego orará para que adquieran el espíritu de servicio y perseverancia que distinguió a Eliseo.

LA LEY DE LA EXPECTACIÓN

PASAJE BÍBLICO

"38Dad, y se os dará; medida buena, apretada, remecida y rebosando darán en vuestro regazo; porque con la misma medida con que medís, os volverán a medir". Lucas 6.38

OBJETIVOS

- Romper el paradigma equivocado de que los pactos con Dios no retribuyen en bendición.
- Activar el espíritu de fe para esperar aquello por lo que se ha pactado.

INTRODUCCIÓN

¿Alguna vez ha observado que las personas que más dan son las más felices y las más bendecidas? ¿Que cuanto más dan, más reciben? Son personas que cada vez que tienen una necesidad o un problema reciben bendición de donde sea, y cada proyecto que emprenden, prospera. ¿Por qué? Porque han activado una ley espiritual basada en el poder de sembrar y esperar una cosecha. Esta ley espiritual está respaldada por quien la puso en vigencia: Dios. Así como las leyes físicas (ejemplo, las de la gravedad, la elasticidad o la termodinámica), esta ley espiritual nunca falla, a menos que alguna de las condiciones necesarias no tenga lugar.

Aquí aprenderemos en qué consiste la Ley de la Expectación, cuáles son las condiciones para que funcione y cómo la podemos aplicar a nuestro diario vivir. Después de conocer esta verdad, usted será transformado en su mente y corazón, y estará listo para comenzar una vida de siembra, expectación y cosecha. ¡Comencemos!

- Esta ley consiste en esperar algo de vuelta por la siembra de una semilla.
- Para ello hay que anular el paradigma mental de que dar a Dios significa no esperar nada.
- Jesús prometió dar en abundancia a quienes dieran en abundancia.

Los cuatro principios acerca de la "ley de la expectación"

1. **La expectación es una corriente poderosa que hace que la semilla trabaje a favor de quien siembra.**

   La expectación crea una corriente de fe que nos inspira a dar. La semilla es la única salida del presente para entrar a nuestro futuro.

2. **La siembra activa la promesa de la protección de Dios (Malaquías 3.11).**

   Cuando sembramos nuestros diezmos y pactos, debemos tener fe y seguridad de que el Señor protegerá tanto nuestra semilla como nuestra cosecha.

3. **La siembra activa ideas financieras y sabiduría divina enviadas por Dios como parte de la cosecha.**
   "18Sino acuérdate de Jehová tu Dios, porque él te da el poder para hacer las riquezas, a fin de confirmar su pacto que juró a tus padres, como en este día". Deuteronomio 8.18

   La expresión "riquezas en gloria" es un hebraísmo que significa "ideas creativas" (diseños nuevos). Su semilla es el puente de bendición al mundo que usted ha soñado.

Actitudes correctas para la siembra

- Siembre esperando que Dios responderá favorablemente cuando usted pone su confianza en Él.

- Siembre de cada pago que reciba.

- Siembre generosamente y con fidelidad.

- Si usted deja de darle a Dios, es imposible que su fe funcione y que lo que espera ocurra.

- Cuando Dios hable a su corazón acerca de sembrar algo (semilla), hágalo, sea obediente.

Usted puede recibir cualquier cosecha que Dios quiera darle, pero tiene que sembrar una semilla especial en su fe.

PREGUNTAS FINALES

- ❖ ¿Qué es la Ley de la Expectación?
- ❖ ¿Cuáles son los cuatro principios de la Ley de la Expectación?
- ❖ ¿Qué son las ideas creativas?

APLICACIÓN

- ✓ El líder guiará una oración para que las personas pidan perdón a Dios por las veces que maldijeron su semilla.
- ✓ Luego dará la oportunidad para que hagan un pacto por los proyectos de su iglesia. Orará seguidamente para activar las promesas y los principios aprendidos.
- ✓ Finalmente, el líder sembrará para alguien del grupo (un libro, un disco, dinero, una Biblia, ropa, etcétera). Así estará dando el ejemplo de cómo sembrar con generosidad y alegría, esperando la cosecha de parte de Dios.

¿QUÉ ES EDIFICAR?

PASAJE BÍBLICO

"¹Si Jehová no edificare la casa, en vano trabajan los que la edifican; si Jehová no guardare la ciudad, en vano vela la guardia". Salmo 127.1

OBJETIVOS

- Instruir al pueblo en la importancia de ser edificados.
- Despertar el anhelo de ser edificado y convertirse en un edificador.

INTRODUCCIÓN

La palabra **edificar** es el vocablo griego *oikodoméo*, que significa construir una casa, reedificar, estimular, fortalecer, confirmar o, incluso, crecer espiritualmente.

- Edificar es más que bendecir e inspirar.
- La edificación tiene que ver con hacer avanzar el reino de Dios y a su iglesia.

"²¹...en quien todo el edificio, bien coordinado, va creciendo para ser un templo santo en el Señor; ²²en quien vosotros también sois juntamente edificados para morada de Dios en el Espíritu". Efesios 2.21-22

¿Por qué edificar?

La edificación prepara a la gente para el futuro y permite que dé frutos en su carácter, su llamado y su propósito mediante la perseverancia. La verdadera edificación no es sólo enseñar la Palabra y fluir en los dones, sino dar a la gente, a través de una formación integral, un edificio sólido que sirva a su vez para fortalecer a otros.

La edificación espiritual de un individuo, iglesia o Reino es el resultado de una labor paciente, que no ocurre de la noche a la mañana. El edificador debe invertir tiempo, dones, recursos y dinero para que la edificación sea posible.

"¹⁸Y yo también te digo, que tú eres Pedro, y sobre esta roca edificaré mi iglesia; y las puertas del Hades no prevalecerán contra ella". Mateo 16.18

La edificación fue y sigue siendo la prioridad de Jesús. Él invirtió su vida y recursos, como hombre y como hijo de Dios, para levantar doce apóstoles que transformaron al mundo entero con el mensaje del Reino. La revelación de Jesús es el fundamento para la edificación.

La pasión de Jesús es edificar su iglesia para que sea la habitación viva en la que Dios pueda morar. Ésta debe ser la pasión más grande de un apóstol: antes que incrementar la inteligencia del creyente o que conozca la Biblia de memoria, debe edificarlo como templo de Dios, una habitación humana en la que su gloria se manifieste. Si usted no se deja edificar, entonces el apóstol no terminará la obra y usted no llegará a ser la habitación en la que Dios pueda morar.

"⁵...vosotros también, como piedras vivas, sed edificados como casa espiritual y sacerdocio santo, para ofrecer sacrificios espirituales aceptables a Dios por medio de Jesucristo". 1 Pedro 2.5

¿Cuáles son los medios para edificar?

- La profecía (1 Corintios 14.3)
- El amor (1 Corintios 8.1)
- El temor de Dios (Hechos 9.31)
- La sabiduría (Proverbios 24.3)
- La oración en lenguas (1 Corintios 14.4)
- La disciplina (Hebreos 12.11)

¿Cuál es el llamado apostólico que tienen hoy los creyentes?

- **Edificar las ruinas antiguas.**

    "¹²Y los tuyos edificarán las ruinas antiguas; los cimientos de generación y generación levantarás, y serás llamado reparador de portillos, restaurador de calzadas para habitar". Isaías 58.12

- **Edificar y seguir edificando, si es necesario, a precio de sangre.**

    "¹⁰...que edificáis a Sion con sangre, y a Jerusalén con injusticia". Miqueas 3.10

    La edificación de una vida es un proceso largo que puede costar sangre, sudor y lágrimas.

- **Edificar el altar de Dios.**

    "⁴Cuando Edom dijere: Nos hemos empobrecido, pero volveremos a edificar lo arruinado; así ha dicho Jehová de los ejércitos: Ellos edificarán, y yo destruiré; y les llamarán territorio de impiedad, y pueblo contra el cual Jehová está indignado para siempre". Malaquías 1.4

    Lo primero que debemos volver a edificar es el altar para Dios. Un lugar donde su presencia more y podamos conocerlo en intimidad; un lugar físico para adorarlo de corazón y para que todos vean que hay un Dios en nuestra vida, iglesia y ciudad.

    Hoy día los altares de Dios están arruinados por el control, la manipulación y el pecado del pueblo introducido por el espíritu de Jezabel. ¡Dios está levantando edificadores llenos de celo y pasión por su altar!

PREGUNTAS FINALES

- ❖ ¿Qué significa la palabra edificar?
- ❖ ¿Por qué cree que la edificación era una prioridad para Jesús?
- ❖ ¿Qué llamado apostólico tenemos hoy y qué es lo primero que debemos edificar?

APLICACIÓN

- ✓ El líder orará para que el grupo reciba fortaleza de lo alto y empiece a edificar y continúe haciéndolo.
- ✓ Invitará a quienes no están tomando las clases de la iglesia a que se inscriban para ser edificados.

¿CÓMO LOS OPOSITORES ATACAN LOS CAMBIOS EN LA IGLESIA?

PASAJE BÍBLICO

"²Sanbalat y Gesem enviaron a decirme: Ven y reunámonos en alguna de las aldeas en el campo de Ono. Mas ellos habían pensado hacerme mal". Nehemías 6.2

OBJETIVOS

- Que el pueblo sea consciente de la oposición que existe cuando se edifica para Dios.
- Que nadie, por ignorancia o inocencia, caiga en la trampa de un anti-edificador que busca aliados para contra edificar.

INTRODUCCIÓN

Para la mayoría de las personas, los cambios son difíciles de aceptar. La sociedad en que vivimos nos ha acostumbrado a buscar y permanecer en una postura cómoda. Los cambios amenazan con sacarnos de esa comodidad y nos retan a entrar en terrenos desconocidos que nos perturban. Los resistentes al cambio tienden a convertirse en anti-edificadores por el sólo hecho de preservar su zona de comodidad.

¿Cuál es el proceso de los opositores al cambio de convertirse en anti-edificadores?

1. El proceso comienza con quejas y con una manifestación general de descontento y frustración por los cambios en la iglesia. Suelen expresarse en comentarios negativos, quejas contra el liderazgo, etcétera.

   En todas las iglesias hay hermanos(as) que se enojan cuando se anuncian cambios. Las personas descontentas difunden chismes y rumores en contra del liderazgo. El ataque se hace más profundo cuando comienzan a sembrar cizaña (ya sea por teléfono o hablando en los pasillos) y sentarse en la parte de atrás durante los servicios.

   "⁵Entonces Sanbalat envió a mí su criado para decir lo mismo por quinta vez, con una carta abierta en su mano, ⁶en la cual estaba escrito: Se ha oído entre las naciones, y Gasmu lo dice, que tú y los judíos pensáis rebelaros; y que por eso edificas tú el muro, con la mira, según estas palabras, de ser tú su rey…". Nehemías 6.5-6

2. Los resistentes desprecian la autoridad del liderazgo de la iglesia.

   - Se juntan y simpatizan con quienes han oído y creído su versión, e implantan el chisme del momento.
   - Realizan alianzas y acuerdos para dejar de venir a los servicios de la iglesia.
   - Muchos de estos simpatizantes son, en realidad, gente inocente que ha sido engañada.
   - Comienza así lo que se denomina una "contaminación de espíritu".

3. Los resistentes, junto a los que han sido contaminados, se rebelan y rechazan la autoridad, convirtiéndose, abiertamente, en opositores o anti-edificadores. Tratan de ganar terreno solicitando ayuda de sus simpatizantes

para tomar la acción de resistir al pastor y al liderazgo. En esta etapa, opera ya en ellos un espíritu de intimidación y brujería.

¿Cuál es el juicio de Dios contra los anti-edificadores?

- Coré y su grupo.

"¹Coré hijo de Izhar, hijo de Coat, hijo de Leví, y Datán y Abiram hijos de Eliab, y On hijo de Pelet, de los hijos de Rubén, tomaron gente, ²y se levantaron contra Moisés con doscientos cincuenta varones de los hijos de Israel, príncipes de la congregación, de los del consejo, varones de renombre. ³Y se juntaron contra Moisés y Aarón y les dijeron: ¡Basta ya de vosotros! Porque toda la congregación, todos ellos son santos, y en medio de ellos está Jehová; ¿por qué, pues, os levantáis vosotros sobre la congregación de Jehová?". Números 16.1-3

"³⁰Mas si Jehová hiciere algo nuevo, y la tierra abriere su boca y los tragare con todas sus cosas, y descendieren vivos al Seol, entonces conoceréis que estos hombres irritaron a Jehová. ³¹Y aconteció que cuando cesó él de hablar todas estas palabras, se abrió la tierra que estaba debajo de ellos. ³²Abrió la tierra su boca, y los tragó a ellos, a sus casas, a todos los hombres de Coré, y a todos sus bienes". Números 16.30-32

- Aarón y María (Números 12.1-10)

Si algo no nos gusta en la iglesia, el pastor o algún líder, oremos a Dios y no cedamos a la tentación de comenzar la crítica contra otras personas. No sembremos el descontento ni nos sumemos al descontento de otros. Seamos sabios y busquemos la guía de Dios para adherirnos a quienes edifican y están enfocados en la edificación de los planes que el Padre tiene para su iglesia, nuestras familias, ciudades y naciones.

PREGUNTAS FINALES

- ❖ ¿Qué es un anti-edificador?
- ❖ ¿Cuáles son las consecuencias de ir contra algo que Dios está edificando?
- ❖ ¿Qué señales nos permiten identificar a un anti-edificador?

APLICACIÓN

- ✓ El líder guiará al grupo en oración de arrepentimiento por si alguno ha resistido la edificación.
- ✓ Luego se unirán para orar por la terminación de los proyectos de la iglesia en el tiempo establecido, y por todo lo que el pueblo esté edificando para sí mismo.
- ✓ Finalmente llamará a las personas nuevas para que reciban a Jesús como Señor y Salvador.

CÓMO HONRAR AL PADRE Y A LA MADRE

PASAJE BÍBLICO

"¹Hijos, obedeced en el Señor a vuestros padres, porque esto es justo. ²Honra a tu padre y a tu madre, que es el primer mandamiento con promesa; ³para que te vaya bien, y seas de larga vida sobre la tierra". Efesios 6.1-3

OBJETIVOS

* Lograr un mejor entendimiento entre padres e hijos.
* Conocer el verdadero significado de la palabra honra y lo que Dios espera de nosotros en esta área.
* Identificar las maneras de honrar a nuestros padres.

INTRODUCCIÓN

En la sociedad actual vemos que ha cambiado mucho la mentalidad de la relación entre padres e hijos. Antes los padres eran vistos con mucho respeto y autoridad, lo cual hoy parece anticuado e incomprensible. En el reino de Dios no importa qué tan buenos o malos sean o hayan sido los padres, hay que honrarlos y punto. La honra a los padres es el único mandamiento con promesa. Muchos tienen resentimiento hacia ellos, otros quieren honrarlos pero no saben cómo hacerlo, mientras que a otros les resulta indiferente. Si queremos agradar a nuestro Padre celestial, hay que tomar la honra hacia los padres con suma seriedad.

"¹²Honra a tu padre y a tu madre, para que tus días se alarguen en la tierra que Jehová tu Dios te da". Éxodo 20.12

La palabra **honrar** significa manifestar respeto, estima o consideración; valorar altamente, apreciar y obedecer.

1. ¿Por qué Dios quiere que los hijos obedezcan a los padres?

* Porque así fue como Él lo estableció en el orden de su creación.

* Porque después de Dios, los padres son la figura de autoridad para los hijos. En el reino de Dios hay una distinción entre los hijos y los padres. Los hijos no deben confundirse ni igualarse a ellos, negándoles el respeto que merecen. Debemos tener una relación cercana con nuestros padres sin perder de vista la posición de autoridad que representan.

    "¹⁵La necedad está ligada en el corazón del muchacho; mas la vara de la corrección la alejará de él". Proverbios 22.15

2. ¿Por qué los hijos deben obedecer a los padres?

Porque la obediencia a los padres se compara con la obediencia a Dios.

"¹Hijos, obedeced en el Señor a vuestros padres, porque esto es justo". Efesios 6.1

Cuando un hijo o hija se rebela contra sus padres, Dios ve esa rebelión como si fuera contra Él mismo.

"8Oye, hijo mío, la instrucción de tu padre, y no desprecies la dirección de tu madre...". Proverbios 1.8

3. ¿Cuál debe ser la actitud de los hijos hacia los padres?

La actitud de un hijo hacia sus padres debe ser de respeto y obediencia porque eso agrada a Dios. Salvo que los padres piden algo que conduzca a desobedecer a Dios, en todo lo demás es justo y propio obedecerles.

4. ¿Qué sucede con los hijos, mayores de edad, que viven en la casa de sus padres?

Mientras un hijo (a) esté bajo el techo de los padres y éstos le brinden protección y provisión, la Biblia ordena que estén sujetos a sus reglas. A quien le parezca ridículo o no pueda hacerlo, debe mudarse y buscar su propia protección y provisión.

5. ¿Cómo puedo honrar a mis padres?

- Hablando siempre bien de ellos.
- Obedeciéndolos.
- Dándoles tiempo de calidad.
- Preocupándose por sus necesidades.
- Ofrendándoles dinero y cosas materiales.

6. ¿Cómo lidiar con los hijos que no honran a sus padres?

Muchos son los hijos que se levantan contra sus padres; los maldicen y los deshonran de manera terrible. Si esto sucede en su hogar, es bueno que pida consejería en la iglesia para aprender a lidiar con la situación con amor y de forma eficaz.

"18Si alguno tuviere un hijo contumaz (porfiado, obstinado y terco en mantener un error) y rebelde, que no obedeciere a la voz de su padre ni a la voz de su madre, y habiéndole castigado, no les obedeciere; 19entonces lo tomarán su padre y su madre, y lo sacarán ante los ancianos de su ciudad, y a la puerta del lugar donde viva; 20y dirán a los ancianos de la ciudad: Este hijo nuestro es contumaz y rebelde, no obedece a nuestra voz; es glotón y borracho. 21Entonces todos los hombres de su ciudad lo apedrearán, y morirá; así quitarás el mal de en medio de ti, y todo Israel oirá, y temerá". Deuteronomio 21.18-21

¿Quiere tener una vida larga? Empiece a honrar a sus padres. Dios cumple lo que promete, ¡y ésta es una promesa!

PREGUNTAS FINALES

- ❖ ¿Por qué los hijos deben obedecer a los padres?
- ❖ ¿Cuál debe ser la actitud de los hijos hacia los padres?
- ❖ ¿Cómo puedo honrar a mis padres?

APLICACIÓN

- ✓ El líder hará un llamado a las personas que tienen resentimiento o problemas con sus padres para que perdonen y reciban sanidad.
- ✓ Luego conducirá una oración de arrepentimiento para quienes no hayan honrado a sus padres como debe ser y dirigirá a las personas a hacer un compromiso de cambiar.

LOS EDIFICADORES Y LA SANIDAD

PASAJE BÍBLICO

"⁴Cuando oí estas palabras me senté y lloré, e hice duelo por algunos días, y ayuné y oré delante del Dios de los cielos. ⁵Y dije: Te ruego, oh Jehová, Dios de los cielos, fuerte, grande y temible, que guarda el pacto y la misericordia a los que le aman y guardan sus mandamientos; ⁶esté ahora atento tu oído y abiertos tus ojos para oír la oración de tu siervo, que hago ahora delante de ti día y noche, por los hijos de Israel tus siervos; y confieso los pecados de los hijos de Israel que hemos cometido contra ti; sí, yo y la casa de mi padre hemos pecado".
Nehemías 1.4-6

OBJETIVOS

- Aprender a ponernos en la brecha por la salvación y la salud de otros.
- Aprender a usar las armas de edificación para vencer la enfermedad.
- Edificar un pueblo sano, libre de toda atadura de enfermedad, y levantar el reino de Dios en la tierra con todas sus virtudes.

INTRODUCCIÓN

El reino de Dios es la plenitud de todas las cosas, lo que incluye la salud de sus edificadores y de su familia. Los edificadores del Reino son también aquellos que se ponen en la brecha por la salvación y la sanidad de otros. Veamos qué debemos tener en cuenta cuando construimos el reino de Dios en las vidas, las ciudades y las naciones.

- **Debemos identificarnos con el dolor de la gente.**

  Si no sentimos pesar por el dolor, la enfermedad y el sufrimiento del ser humano, no podremos desarrollar la pasión necesaria para construir lo que hay en el corazón de Dios (Nehemías 1.1-4). Debemos tener la misma compasión que tuvo Jesús por los enfermos.

  "¹³Y cuando el Señor la vio, se compadeció de ella, y le dijo: No llores". Lucas 7.13

  "³⁶Y al ver las multitudes, tuvo compasión de ellas; porque estaban desamparadas y dispersas como ovejas que no tienen pastor". Mateo 9.36

- **Debemos identificarnos con el pecado y la enfermedad del pueblo.**

  Debemos interceder ante el trono de Dios por los pecados de nuestra familia y de nuestros hermanos. Usted sabe que el pecado trae enfermedad y que nuestra familia inconversa está llena de enfermedades. Por eso es importante ponerse en la brecha por su salvación, pues juntamente con ella, vendrá su sanidad.

  "⁴Y conociendo Jesús los pensamientos de ellos, dijo: ¿Por qué pensáis mal en vuestros corazones? ⁵Porque, ¿qué es más fácil, decir: Los pecados te son perdonados, o decir: Levántate y anda? ⁶Pues para que sepáis que el Hijo del Hombre tiene potestad en la tierra para perdonar pecados (dice entonces al paralítico): Levántate, toma tu cama, y vete a tu casa". Mateo 9.4-6

Cuando tenemos una carga por el pueblo y nos ponemos en la brecha de la intercesión, Dios mueve su mano favorablemente (Nehemías 2.4-5).

¿Cuáles son las armas con las cuales los edificadores pueden vencer?

- La oración y el ayuno.

La oración es cederle nuestra boca al Espíritu Santo para establecer la perfecta voluntad del Padre. Es voluntad de Dios que seamos salvos y sanos.

La vida de oración de Jesús fue la fuente principal de todas las cosas maravillosas que ocurrieron en su ministerio. Jesús se pasaba cinco o seis horas orando por día, y luego le tomaba sólo unos segundos sanar a los enfermos. Enseñó a sus discípulos la necesidad de orar siempre y no desmayar.

"22Y todo lo que pidiereis en oración, creyendo, lo recibiréis". Mateo 21.22

- El ayuno lleva la carne a someterse al espíritu y a desatar mayor poder.
- El ayuno provoca rompimientos de situaciones y milagros en forma instantánea.

"El Espíritu del Señor está sobre mí, por cuanto me ha ungido para dar buenas nuevas a los pobres; me ha enviado a sanar a los quebrantados de corazón; a pregonar libertad a los cautivos, y vista a los ciegos; a poner en libertad a los oprimidos...". Lucas 4.18

Jesús vino a traer el reino de Dios a la tierra, las buenas nuevas de salvación y sanidad. Él edificó el Reino predicando el Evangelio, libertando a los cautivos y sanando a los enfermos con las armas constantes del ayuno y la oración. Su poder de sanidad era asombroso.

"23Y recorrió Jesús toda Galilea, enseñando en las sinagogas de ellos, y predicando el evangelio del reino, y sanando toda enfermedad y toda dolencia en el pueblo. 24Y se difundió su fama por toda Siria; y le trajeron todos los que tenían dolencias, los afligidos por diversas enfermedades y tormentos, los endemoniados, lunáticos y paralíticos; y los sanó". Mateo 4.23-24

PREGUNTAS FINALES

- ❖ ¿Qué significa tener una carga por otra persona?
- ❖ ¿Por qué el ayuno y la oración son armas efectivas contra el enemigo?
- ❖ ¿Qué efectos espirituales tiene el ayuno en nuestra vida?

APLICACIÓN

- ✓ El líder orará por quienes están sufriendo cualquier tipo de enfermedad o dolor físico para que sean sanadas con el poder de Jesús en sus corazones y cuerpos.
- ✓ Convocará a ayuno y oración por las personas que tienen enfermedades, y obtengan el milagro de su sanidad.
- ✓ Finalmente llamará a las personas nuevas para que entronen a Jesús como su Señor y Salvador.

LOS COMPONENTES FUNDAMENTALES DE LA UNIDAD

PASAJE BÍBLICO

"¹⁰Os ruego, pues, hermanos, por el nombre de nuestro Señor Jesucristo, que habléis todos una misma cosa, y que no haya entre vosotros divisiones, sino que estéis perfectamente unidos en una misma mente y en un mismo parecer". 1 Corintios 1.10

OBJETIVOS

- Alcanzar la unidad en el cuerpo de Cristo y en la familia.
- Cerrar puertas al espíritu de división para alcanzar nuestras metas como iglesia y como familias.
- Ministrar libertad al pueblo de Dios para llevar la visión adelante.

INTRODUCCIÓN

En todo momento, pero sobre todo cuando estamos a punto de concretar una bendición de Dios, terminar un proyecto o edificar lo que Dios nos mandó hacer, debemos vigilar la unidad del cuerpo y la familia de Cristo. Debemos estar alertas y no permitir que el enemigo se meta entre nosotros. Satanás tiene varias armas para desalentar y detener al creyente, pero las nuestras son más poderosas. Hoy vamos a conocer y aprender a usar el arma de la unidad. La verdadera unidad, que es la del Espíritu, tiene el poder de llevarnos a la victoria en las metas que tenemos como pueblo de Dios.

Dios es uno sólo. A través de toda la Escritura encontramos que se manifiesta en tres personas: Padre, Hijo y Espíritu Santo. Sin embargo, los tres son Uno porque actúan con una sola mente y propósito. La unidad del Espíritu es la clave para ganar nuestras batallas y salir de los problemas que tenemos ahora. Veamos de qué se trata la unidad, cómo cuidarla y mantenerla para que el enemigo no encuentre lugar en nosotros.

¿Qué es la unidad del Espíritu?

La unidad del Espíritu es estar de acuerdo en un mismo sentir y mentalidad, con una misma actitud interna, con la misma pasión y fuego, declarando y hablando lo mismo. Sin unidad, no se pueden lograr grandes metas.

La unidad tiene cuatro componentes fundamentales, hoy veremos dos de ellos:

1. Una misma mentalidad

Dios tiene conocimiento de todo (Omnisciente) y de Él son los propósitos de nuestra vida. Cuando Dios une personas lo hace con un fin determinado. De ello deducimos que si estamos juntos es porque Dios tiene un plan con nosotros. Para cumplir ese plan necesitamos la unidad del Espíritu y tener en cuenta que cada uno tiene algo que aportar para llegar a ese destino en común.

"Lléname y completa mi gozo, viviendo en armonía y estando en una misma mente y con un mismo propósito, teniendo el mismo amor, estando en completo acuerdo, con las mismas intenciones y pensamientos, en armonía". Filipenses 2.2 Biblia Amplificada

La unidad debe ser, primero, de pensamiento. Todos necesitamos renovar nuestra antigua manera de pensar para que la unidad se establezca. Si no se hace, los problemas continuarán y terminarán destruyendo nuestras relaciones y propósitos. Es importante también que todos estemos en el mismo nivel de revelación de la Palabra debido a que la unidad no se concretará si existen fuertes disparidades en el conocimiento.

2. Una misma actitud (o sentir)

"⁵Haya, pues, en vosotros este sentir que hubo también en Cristo Jesús". Filipenses 2.5

Aunque la traducción en español usa la palabra "sentir", en el original griego la traducción correcta o más acertada es "actitud".

¿Qué es actitud?

La actitud es el estado anímico con el que una persona enfrenta los retos que la vida trae, sean positivos o negativos. La actitud es un acto de elección por medio del cual una persona reacciona, de buena o de mala manera, a los estímulos que recibe del exterior.

¿Cuál es la actitud correcta para permanecer en unidad?

La actitud correcta para generar la unidad y permanecer en ella es la humildad y el servicio. Esta misma actitud tuvo Jesús al hacerse siervo y lavar los pies de los discípulos. Se trata de una completa ausencia de orgullo.

"⁵Luego puso agua en un lebrillo, y comenzó a lavar los pies de los discípulos, y a enjugarlos con la toalla con que estaba ceñido". Juan 13.5

Cuando una persona tiene una actitud negativa hacia su esposo, esposa, hijos, iglesia, pastor o trabajo, se vuelve causa inmediata de división. Una actitud positiva es clave para lograr la unidad en cualquier nivel. Elíjala.

En suma, para preservar la unidad debemos estar en un mismo sentir (mentalidad) y actitud. La actitud de humildad y servicio debe caracterizar nuestras relaciones, de modo que podamos alcanzar el destino en Dios y que todo lo que hagamos para Él y su pueblo prospere y rinda frutos de bendición.

PREGUNTAS FINALES

❖ ¿Qué debemos hacer para alcanzar nuestro destino en Dios como Cuerpo de Cristo?
❖ ¿Qué es la unidad?
❖ ¿Cuáles son los dos primeros componentes de la unidad?

APLICACIÓN

✓ El líder guiará al grupo a renunciar al espíritu de división y a tomar la decisión de caminar en unidad con la iglesia y los pastores, con una misma mente y actitud. Desatará seguidamente un espíritu de unidad.
✓ Luego llamará a las personas nuevas para que entronen a Jesús como su Señor y Salvador.

CÓMO VENCER EL DESÁNIMO

PASAJE BÍBLICO

"⁶¡Esforzaos y cobrad ánimo! No temáis ni tengáis miedo de ellos, porque Jehová, tu Dios, es el que va contigo; no te dejará, ni te desamparará". Deuteronomio 31.6

OBJETIVOS

- Ayudar a las personas a reconocer las causas de su desánimo y darles herramientas para desecharlo.
- Confrontar al espíritu de desánimo y detener su operación en el cuerpo de Cristo.

INTRODUCCIÓN

En algún momento de la vida todos hemos pasado por momentos de desánimo. Uno de los principales motivos es la estrategia del enemigo de destruir nuestras emociones, sacarnos del camino y alejarnos del propósito de Dios.

¿Qué es el desánimo?

Desánimo es la palabra griega *adsuméo*, que significa estar descorazonado, carecer de valor y fuerzas para seguir adelante.

¿Cuáles son sus causas?

- La falta de comunión con Dios. La persona que no tiene una relación personal con Dios se desanimará. Al no tener la palabra de Dios ni vivirla, el Espíritu Santo no morará en ella. ¡Cómo no va a estar desanimada, si no tiene a Dios!

- Las circunstancias negativas. Fijar nuestra atención en situaciones adversas (enfermedad, crisis o enemistades) nos va a distraer de Jesús y del llamado de Dios para nuestra vida. Eso nos causará desánimo.

- Los comentarios negativos de la gente. Envolvernos en la crítica o el chisme nos desanimará. No haga ni preste sus oídos a comentarios negativos acerca de su iglesia, trabajo o familia.

- Una victoria muy peleada. Cuando se lucha por algo durante mucho tiempo y se obtiene, el enemigo enviará un espíritu de desánimo para impedir el gozo y detener a la persona.

¿Cuáles son las actitudes de la persona que está desanimada?

- Aislamiento. La persona desanimada se aísla, levanta auto-barreras y desanima a otros.

- Autocompasión. Después del encierro, desarrolla auto-lástima y comienza con expresiones como "nadie me quiere", "no me toman en cuenta", "estuve enfermo y no me visitaron", etcétera.

- Crítica y murmuración. Una persona desanimada es vulnerable al espíritu de murmuración y queja contra Dios, los líderes, la iglesia, su trabajo, su familia, su casa y todo en general.

- **Frialdad espiritual.** La persona desanimada no siente la presencia de Dios y, como resultado, se inclina hacia el pecado. Se muestra insensible a la necesidad de la gente, a la oración y la Palabra.

¿Cuáles son las soluciones bíblicas para salir del desánimo?

1. **Esfuércese y sea valiente.**

   "⁹Mira que te mando que te esfuerces y seas valiente; no temas ni desmayes, porque Jehová, tu Dios, estará contigo dondequiera que vayas". Josué 1.9

2. **Ore y alabe.**

   "¹³¿Está alguno entre vosotros afligido? Haga oración. ¿Está alguno alegre? Cante alabanzas". Santiago 5.13

   Si está desanimado, desalentado o tiene problemas en su vida, vuélvase a la oración y acérquese a Dios.

3. **Restaure el gozo.**

   "¹⁰...no os entristezcáis, porque el gozo de Jehová es vuestra fuerza". Nehemías 8.10

   El enemigo siempre tratará de robarle el gozo, pero si usted toma la decisión de permanecer animado en medio de la adversidad, su gozo le dará la fortaleza de Dios para salir victorioso.

4. **Convierta sus decepciones en crecimiento espiritual.**

   Diga en voz alta: "Todo lo que me ha pasado, Dios lo usará para bien. La traición que sufrí es un escalón para mi madurez espiritual. La ofensa y el rechazo de la gente sólo han sido un peldaño para crecer".

   La palabra final es: ¡Ten ánimo!, tu matrimonio se arreglará. ¡Ten ánimo!, serás sano de tu enfermedad. ¡Ten ánimo!, tus hijos volverán a la casa. ¡Ten ánimo! Dios suplirá el dinero que te falta. ¡Ten ánimo, ánimo y ánimo!

   "³⁶porque os es necesaria la paciencia, para que, habiendo hecho la voluntad de Dios, obtengáis la promesa". Hebreos 10.36

PREGUNTAS FINALES

❖ ¿Qué es el desánimo y cuáles son sus causas?
❖ ¿Cuáles son las soluciones bíblicas para salir del desánimo?

APLICACIÓN

✓ El líder animará a las personas decretando las promesas que están en la Palabra.
✓ Luego hará el llamado para que las nuevas personas reciban a Jesús como su Señor y Salvador, y se enfocará en quienes se sienten desanimadas, que no tienen una relación con Dios y quieren vivir en gozo.

REDIMIDOS DE LA POBREZA

PASAJE BÍBLICO

"¹⁰Traed todos los diezmos al alfolí y haya alimento en mi Casa: Probadme ahora en esto, dice Jehová de los ejércitos, a ver si no os abro las ventanas de los cielos y derramo sobre vosotros bendición hasta que sobreabunde. ¹¹Reprenderé también por vosotros al devorador, y no os destruirá el fruto de la tierra, ni vuestra vid en el campo será estéril, dice Jehová de los ejércitos". Malaquías 3.10-11

OBJETIVOS

- Llevar a las personas a entender por qué sus finanzas no son bendecidas.
- Comenzar a practicar el principio del diezmo y la ofrenda para recibir bendición.

INTRODUCCIÓN

Es difícil entender ciertos principios bíblicos acerca de la prosperidad. Por eso es necesario aprender cómo Dios nos redime de la pobreza si le ofrendamos y diezmamos. Éste es el único caso en el cual Dios nos permite probarlo; es más, nos ordena hacerlo.

¿De qué manera probamos a Dios en el área financiera?

Probar su fidelidad a través de nuestros diezmos y ofrendas.

¿Qué es el alfolí?

En la antigüedad, el alfolí era una bodega donde se almacenaba la reserva de todos los granos, el alimento y la provisión. Hoy nuestro alfolí es el lugar donde nos alimentamos de la Palabra y de las primicias de Dios; es el lugar donde se nos nutre y somos pastoreados.

"²³Y comerás delante de Jehová, tu Dios, en el lugar que él escoja para poner allí su nombre, el diezmo de tu grano, de tu vino y de tu aceite, y las primicias de tus manadas y de tus ganados, para que aprendas a temer a Jehová, tu Dios, todos los días". Deuteronomio 14.23

Si cada uno de nosotros diezmara y ofrendara de continuo, habría alimento espiritual y material todo tiempo, así como para dar a otros. Damos el alimento de nuestro alfolí en los grupos familiares, los discipulados, los viajes misioneros, los retiros, los grupos de ayuda social y en evangelismo.

¿Cuáles son los beneficios de diezmar y ofrendar a Dios?

- *"¹⁰...Probadme ahora en esto, dice Jehová de los ejércitos, a ver si no os abro las ventanas de los cielos...".*

Los diezmos abren las ventanas de los cielos y las ofrendas derraman lo que hay en ellas. Cuando Dios derrama, significa que habrá una avalancha continua, un desborde de palabras del Espíritu Santo para prosperarnos. Dios nos bendice con ideas ingeniosas, creativas, pensamientos y conceptos para que desarrollemos y seamos prosperados. El diezmo es nuestra obligación y lo damos por obediencia, pero las ofrendas son un acto de amor voluntario; por tanto, las ofrendas aumentan nuestras bendiciones financieras.

- *"¹⁰...derramo sobre vosotros bendición hasta que sobreabunde".*

  Bendición es la palabra hebrea *beraká*, que implica prosperidad, fuente de bendición, estanque y generoso. Bendición también proviene del latín *"biene"* que significa buena dirección y palabras; es decir, palabras buenas.

- *"¹¹Reprenderé también por vosotros al devorador...".*

  Ésta es la única escritura en la cual Dios dice que Él mismo reprenderá al devorador por nosotros. Cuando diezmamos y ofrendamos, Él cuida nuestra cosecha y el enemigo no puede tocar nuestro negocio o empleo.

- *"¹¹...y no os destruirá el fruto de la tierra, ni vuestra vid en el campo será estéril...".*

  El diezmo y la ofrenda son el seguro de vida y bienestar de nuestros hijos, pues ellos son nuestra vid.

- *Serás especial tesoro de Dios. Malaquías 3.17*

  Prepararás el camino y dejarás herencia a tu descendencia. Malaquías 3.11-12

¿Qué sucede si no obedecemos el mandato de diezmar?

"⁸¿Robará el hombre a Dios? Pues vosotros me habéis robado. Y aún preguntáis: "¿En qué te hemos robado?". En vuestros diezmos y ofrendas. ⁹Malditos sois con maldición, porque vosotros, la nación toda, me habéis robado". Malaquías 3.8-9

¿Qué tipo de maldición viene a un creyente cuando no diezma ni ofrenda?

El dinero no le rinde y se le va como agua.

- *Sus negocios o trabajo no prosperan.*
- *Tiene gastos inesperados como daños en el automóvil, cosas de valor extraviadas, incluso sufre fraudes.*
- *Tiene fuga continua de dinero.*
- *La salud de los miembros de la familia se deteriora y tiene que pagar medicinas y otros.*

Comencemos a honrar y a obedecer a Dios con nuestros diezmos y ofrendas para obtener las bendiciones y dejar de sufrir la maldición de la pobreza. Ahora la redención de la pobreza es nuestra decisión.

PREGUNTAS FINALES

- ❖ ¿Qué es hoy el alfolí y hacia dónde debemos dirigir nuestro alimento?
- ❖ ¿Cuáles son las bendiciones de diezmar y ofrendar?

APLICACIÓN

- ✓ El líder invitará al grupo a presentar sus diezmos y ofrendas a Dios en un sobre y las presentará al Señor.
- ✓ Luego, como de costumbre, hará el llamado para la Salvación en Cristo Jesús.

EL MILAGRO DE NAAMÁN

PASAJE BÍBLICO

"¹Naamán, general del ejército del rey de Siria, era varón grande delante de su señor, y lo tenía en alta estima, porque por medio de él había dado Jehová salvación a Siria. Era este hombre valeroso en extremo, pero leproso. ²Y de Siria habían salido bandas armadas, y habían llevado cautiva de la tierra de Israel a una muchacha, la cual servía a la mujer de Naamán. ³Ésta dijo a su señora: Si rogase mi señor al profeta que está en Samaria, él lo sanaría de su lepra". 2 Reyes 5.1-3

OBJETIVO

• Ministrar sanidad a los enfermos y manifestar el Reino para que la gente reciba a Jesús como su Salvador.

INTRODUCCIÓN

Hoy abordaremos el tópico sobre el poder de Dios para sanar, y la actitud que una persona debe tomar para recibir su milagro. La humildad, la fe y la perseverancia son virtudes claves para recibir la sanidad divina sobre cualquier enfermedad o dolor que usted esté sufriendo. Dios es omnipresente y su poder es ilimitado. Si necesita su poder, sólo tiene que creer en el nombre de Jesús y dar los pasos de fe necesarios para alcanzar su milagro. Lo ilustraremos con el ejemplo de Naamán.

Naamán era general del ejército de Siria. Un hombre grande y fuerte, guerrero y orgulloso de su posición y fuerza; pero tenía un defecto: era leproso y ansiaba ser sano (la lepra en el cuerpo es como el orgullo en el corazón; es una tipología del pecado en el alma que va destruyendo al ser completo hasta llevarlo a la muerte). Dios habló a Naamán por medio de una criada, lo cual significa que cuando somos orgullosos, Dios nos hablará a través de personas que parecen insignificantes.

¿Qué hizo Eliseo?

"¹⁰Entonces Eliseo le envió un mensajero, diciendo: Ve y lávate siete veces en el Jordán, y tu carne se te restaurará, y serás limpio". 2 Reyes 5.10

Llegado frente a la casa del profeta, Naamán esperaba que Eliseo saliera en persona, lo recibiera con gran ceremonia y lo sanara… sin embargo, éste le envió un mensajero, diciéndole que si quería ser sano debía zambullirse siete veces en el río más sucio de esa época. Naamán, ante dicho trato, se enojó, y estuvo decidido a volver a su tierra porque no estaba dispuesto a ser humillado de ese modo.

"¹³Mas sus criados se le acercaron y le hablaron diciendo: Padre mío, si el profeta te mandara alguna gran cosa, ¿no la harías? ¿Cuánto más, diciéndote: Lávate, y serás limpio? ¹⁴Él entonces descendió, y se zambulló siete veces en el Jordán, conforme a la palabra del varón de Dios; y su carne se volvió como la carne de un niño, y quedó limpio". 2 Reyes 5.13-14

¿Qué hizo Naamán?

Dios, nuevamente, usó a sus criados para hablarle. Entonces Naamán recapacitó y se humilló; se zambulló siete veces en el Jordán y fue limpio de su lepra. Naamán tuvo que humillarse, renunciar a su orgullo y darse siete zambullidas de fe para recibir su milagro. Luego de ser limpio, este general sirio reconoció que no había otro Dios fuera del Dios de Israel y le entregó su vida.

"15Y volvió al varón de Dios, él y toda su compañía, y se puso delante de él, y dijo: He aquí ahora conozco que no hay Dios en toda la tierra, sino en Israel...". 2 Reyes 5.15

¿Qué hará usted?

Dios no siempre hace las cosas a nuestra manera, porque Él está más interesado en nuestra salvación que en nuestra necesidad. El orgullo nos aleja de Él. ¿Está usted dispuesto a humillarse hoy y renunciar a los razonamientos e ideas preconcebidas acerca de la veracidad de los milagros? ¿Está dispuesto a creer que Dios tiene un poder ilimitado para sanarlo? ¿Está dispuesto a que Jesús sea el Señor y Salvador de su vida? ¿Está dispuesto a zambullirse en fe, las veces que sean necesarias, para recibir su sanidad? ¡Hoy es el día de su milagro! ¡Créalo y recíbalo!

"13Y todo lo que pidiereis al Padre en mi nombre, lo haré, para que el Padre sea glorificado en el Hijo. 14Si algo pidiereis en mi nombre, yo lo haré". Juan 14.13-14

PREGUNTAS FINALES

❖ ¿Por qué Eliseo envió a Naamán a zambullirse en el Río Jordán?
❖ ¿Qué decisión tomó el general?
❖ ¿Qué decisión debe tomar usted?

APLICACIÓN

✓ Una vez finalizada la lección, el líder ministrará sanidad divina a las personas que se presenten con una enfermedad o dolencia física.
✓ Luego hará el llamado de salvación y la oración del pecador con los que tomen la decisión de recibir a Jesús.
✓ Finalmente ministrará restauración a los que lo necesiten, y orará por las personas enfermas que no estén presentes enviando la palabra de sanidad.

EL CORAZÓN ENDURECIDO

PASAJE BÍBLICO

"26Os daré un corazón nuevo y pondré un espíritu nuevo dentro de vosotros. Quitaré de vosotros el corazón de piedra y os daré un corazón de carne". Ezequiel 36.26

OBJETIVOS

- Que el creyente construya una relación plena con el Padre, con las personas que ama y consigo mismo.
- Invitar a quien no conoce a Cristo a tener una relación con Él y a vivir libre de las ataduras del pasado.

INTRODUCCIÓN

Hay personas que han aceptado a Cristo como su Señor y Salvador, son buenos creyentes y aman a su familia, pero tienen áreas que no han sido transformadas por el poder y el amor de Jesús. El corazón endurecido nos impide entender los misterios de Dios, nos roba la comunión tanto con el Padre como con el Espíritu Santo, y pone barreras a nuestras relaciones. Por eso es importante reconocer esta dureza, para sanar y cambiar.

"17Y entendiéndolo Jesús, les dijo: ¿Qué discutís, porque no tenéis pan? ¿No entendéis ni comprendéis? ¿Aún tenéis endurecido vuestro corazón?". Marcos 8.17

Endurecido es la traducción de la palabra griega *poróo*, que significa petrificar, formar callos, hacer duro; implica ceguera y sordera espiritual, ser insensible, torpe y perder la capacidad de entender o comprender.

¿Cuáles son las características de una persona con corazón endurecido?

- Es insensible a la presencia de Dios y a las reacciones que su Palabra debe producir.

- Es incapaz de comprender el dolor de una persona aún cuando sabe que está sufriendo.

- Su conciencia funciona después de pecar y no antes de hacerlo (las leyes de Dios son escritas en nuestro corazón, pero si nuestro espíritu está adormecido, la conciencia no nos prevendrá del pecado).

- No acepta instrucción ni corrección de sus líderes y autoridades. Transige el principio de autoridad.

    "8Escucha, hijo mío, la instrucción de tu padre y no abandones la enseñanza de tu madre". Proverbios 1.8

¿Por qué se endurece el corazón?

1. Por el pecado continuo en un área específica; por ejemplo, la mentira. La primera vez nuestra conciencia nos redarguye y nos sentimos mal; la segunda vez ya nos sentimos menos mal, la tercera no sentimos casi nada y, finalmente, lo hemos hecho tantas veces, que ya no nos importa. El corazón se endureció.

    La práctica continua de un pecado es una puerta abierta al enemigo. ¡No se puede jugar con el pecado!

2. Por las heridas emocionales. Cuando una persona ha sido herida tiende a formar mecanismos de defensa para protegerse y no volver a pasar lo mismo. Estos mecanismos bloquean los sentimientos, restan capacidad a responder sanamente a los estímulos externos y predisponen al ser humano a auto-protegerse.

3. Por la queja y la murmuración. Quejarnos de continuo enoja a Dios y endurece nuestro corazón.

"8no endurezcáis vuestros corazones como en la provocación, en el día de la tentación en el desierto". Hebreos 3.8

4. Por oponerse a obedecer la palabra de Dios.

"7Si oyereis hoy su voz (la voz de Dios), no endurezcáis vuestros corazones". Hebreos 4.7 (Énfasis agregado)

Los padres deben tener mucho cuidado de no herir a sus hijos, pues las heridas provocadas por un padre o una madre son las que más afectan la vida del ser humano. A veces los padres usan la culpa para manipular a sus hijos, provocando en ellos la manera de impedir que les suceda con otras personas.

¿Cuáles son las consecuencias de permanecer con un corazón endurecido?

• La persona, cuyo corazón se ha endurecido, caerá en el mal.

"14Bienaventurado el hombre que siempre teme a Dios, pero el que endurece su corazón caerá en el mal". Proverbios 28.14

• El quebrantamiento será inevitable.

"1El hombre que reprendido endurece la cerviz, de repente será quebrantado y no habrá para él medicina". Proverbios 29.1

¿Cómo ser libre de un corazón endurecido o de piedra?

• Reconociendo el problema.
• Perdonando y pidiendo perdón.
• Renunciando a los mecanismos de defensa que internamente hemos levantado.
• Permitiendo que el Espíritu Santo sane las heridas, nos cambie el corazón de piedra, nos dé un corazón nuevo y nos llene por completo.

PREGUNTAS FINALES

❖ ¿Cómo es un corazón endurecido?
❖ ¿Qué son los mecanismos de defensa?
❖ ¿Cómo podemos cambiar nuestro corazón de piedra?

APLICACIÓN

✓ El líder llamará a las personas que sienten su corazón endurecido para ministrarles el amor de Dios.
✓ Luego guiará a una oración de renuncia y de reconciliación consigo mismas, con sus ofensores y con el Padre.
✓ Finalmente invitará a las personas nuevas a aceptar a Jesús en su corazón para que su vida emocional pueda ser totalmente restaurada.

QUÉ HACER EN EL DÍA DE LA ADVERSIDAD

PASAJE BÍBLICO

"10No temas, porque yo estoy contigo; no desmayes, porque yo soy tu Dios que te esfuerzo; siempre te ayudaré, siempre te sustentaré con la diestra de mi justicia". Isaías 41.10

OBJETIVOS

- Alentar a las personas y acercarlas a Dios para superar la adversidad.
- Presentar a Cristo a quienes se sienten perdidos para que en la adversidad lo conozcan y reciban victoria.

INTRODUCCIÓN

La adversidad es algo que todo ser humano debe enfrentar alguna vez en su vida. Todos hemos pasado, o en algún momento pasaremos, situaciones difíciles de afrontar y de resolver. Los hijos de Dios no estamos exentos de esto, pero tenemos la ventaja de recurrir a nuestro Padre celestial, fuente de toda sabiduría, enseñanza y poder, quien nos da fuerzas para vencer y superar las crisis de la vida. En las iglesias hay creyentes que se jactan de su fe y fortaleza; danzan, brincan y hablan positivo, pero cuando llega la adversidad a sus vidas, su consistencia es probada.

"10Si flaqueas en el día de adversidad, tu fuerza quedará reducida". Proverbios 24.10

¿Cuál es el día de la adversidad?

Adversidad no es que sus hijos saquen una mala nota en la escuela, ni que alguien le ganó el puesto en el estacionamiento del supermercado. Adversidad es perder a un ser amado, enfrentar el deterioro de una relación, que el esposo se vaya con otra mujer, no encontrar trabajo, no ser promovido o que su hija soltera, a quien tanto ha cuidado, quede embarazada. La adversidad es una crisis grande.

¿Qué debo saber acerca de la adversidad?

1. **La adversidad es prueba de que hay un enemigo.** Cuando usted no puede avanzar en algo o salir de una situación adversa es que alguien quiere detenerlo y le presenta lucha y conflicto. Satanás es su enemigo.

   "11Vestíos de toda la armadura de Dios, para que podáis estar firmes contra las asechanzas del diablo". Efesios 6.11

   La adversidad no es prueba de que usted está fuera de la voluntad de Dios, sino que está en el centro de la misma y el enemigo quiere detenerlo. Pero Dios usará la adversidad para darle madurez en su llamado.

2. **Su propósito o su llamado en Dios atraerá ataques.** Tal como le sucedió a grandes hombres de la Biblia (Daniel, José y otros), hay ciertos ataques que vendrán a su vida como resultado de su llamado o su propósito en Dios. Ejemplo: si es financiar al Reino, el enemigo atacará su economía; si es la familia, el diablo atacará su matrimonio y a sus hijos; si es liberador, intercesor o profeta minará o tratará de interrumpir su ministerio.

3. **La crisis o la adversidad siempre ocurre en la curva del cambio.** La adversidad es señal de que viene un cambio grande, una promoción a su vida: dinero, paz a su casa, salvación, liberación, matrimonio, entre otros. Es común que una persona, antes de convertirse al Señor e inicie el proceso de restauración de su alma, enfrente adversidad; lo mismo ocurre con quien descubre su llamado o confirma un objetivo. La adversidad es temporal cuando estamos en manos de Dios. Veamos el ejemplo de José en la Biblia:

"9Los patriarcas, movidos por envidia, vendieron a José para Egipto; pero Dios estaba con él, 10y le libró de todas sus tribulaciones, y le dio gracia y sabiduría delante de Faraón rey de Egipto, el cual lo puso por gobernador sobre Egipto y sobre toda su casa". Hechos 7.9-10

No puede haber un milagro, si primero no hay adversidad.

4. **La adversidad nos muestra quién está realmente a nuestro lado.** En la adversidad nos damos cuenta de quiénes son los verdaderos amigos y hermanos. Cuando a Jesús le llegó la adversidad, todos lo abandonaron. La crisis es el fuego purificador de las amistades; las define, las fortalece, nos liga con las verdaderas y descubre y nos aparta de las falsas. Quien no pasa el fuego con nosotros, no va a respaldarnos en otro nivel; quien no pelea a tu lado la batalla, no tiene por qué celebrar la victoria con usted.

¿Qué hacer en tiempos de adversidad?

- **No desmayar.** Porque *"10Si flaqueas en el día de adversidad, tu fuerza quedará reducida". Proverbios 24.10*

- **Ir al lugar secreto para oír la voz de Dios.** El lugar secreto es aquel donde oramos diariamente, donde Dios está entronado; allí encontraremos la fortaleza y la sabiduría para obtener la victoria sobre la adversidad.

  "20En lo secreto de tu presencia los esconderás de la conspiración del hombre; los pondrás en tu Tabernáculo a cubierto de lenguas contenciosas". Salmos 31.20

- **Buscar el consejo de quien tiene autoridad sobre usted.** Cuando estamos en adversidad no podemos huir de la autoridad, al contrario, debemos buscar su consejo, cobertura y seguridad durante la crisis.

  "15Y Moisés respondió a su suegro: Porque el pueblo viene a mí para consultar a Dios. 16Cuando tienen asuntos, vienen a mí; y yo juzgo entre el uno y el otro, y declaro las ordenanzas de Dios y sus leyes". Éxodo 18.15-16

PREGUNTAS FINALES

- ❖ ¿Cuándo viene la adversidad?
- ❖ ¿Cómo prueba la adversidad a nuestras amistades?
- ❖ ¿Qué debemos hacer en tiempos de adversidad?

APLICACIÓN

- ✓ El líder presentará el plan de salvación a las personas nuevas y les hará repetir la oración del pecador.
- ✓ Luego orará por ellas y por todas las personas que estén pasando por alguna crisis para que el reino de Dios se manifieste en sus vidas. ¡Desate la Palabra y espere un milagro!

NO DEIS LUGAR AL DIABLO

PASAJE BÍBLICO

"⁸Sed sobrios, y velad; porque vuestro adversario el diablo, como león rugiente, anda alrededor buscando a quien devorar". 1 Pedro 5.8

OBJETIVOS

- Enseñar la verdad sobre el diablo y sus maquinaciones.
- Llevar a las personas nuevas a tomar la decisión de aceptar a Jesús y ser libres de la opresión del demonio.

INTRODUCCIÓN

Sin ser equiparables, hay dos fuentes de poder en la vida: la del Dios del universo y la del príncipe de este mundo, Satanás. El hombre es una fuente neutral que se conecta a cualquiera de las dos primeras por voluntad propia. Es decir, el ser humano tiene una voluntad soberana y libre para escoger entre lo malo y lo bueno. Elige servir a Dios o al diablo. Pero debe saber que no hay terreno neutral, no puede ser un simple observador, debe participar.

¿Cuál es en esta área la diferencia entre Dios y el diablo?

- Dios no presiona ni obliga a nadie. Él trata de influenciar, inspirar y persuadir al hombre a través del Espíritu Santo para que cumpla el propósito por el que fue creado. El hombre decide si lo toma y camina en él o no.

- El diablo manipula y controla al ser humano para cumplir sus planes, sin importar si éste quiere o no. Se adueña de su voluntad con la meta final de destruirlo. Para eso usa mentiras, engaños, falsas riquezas y fama.

Nuestro creador es Dios, y Él nos hizo con una voluntad propia para que podamos decidir. De manera que si el enemigo ha ganado terreno en su vida, es porque usted, con su soberana voluntad, se lo ha permitido.

¿Cómo llega el diablo a controlar la voluntad del hombre?

"³⁸cómo Dios ungió con el Espíritu Santo y con poder a Jesús de Nazaret, y cómo éste anduvo haciendo bienes y sanando a todos los oprimidos por el diablo, porque Dios estaba con él". Hechos 10.38

1. **Opresión:** Este ataque está diseñado para apagar la luz en la vida del creyente. Puede comenzar con un mal pensamiento; por eso la Biblia nos aconseja sujetar nuestros pensamientos a Cristo (2 Corintios 10.5).

2. **Obsesión:** En esta etapa el diablo trabaja en el punto más débil: malos hábitos como hablar malas palabras, ver pornografía o mentir. Durante la obsesión, la persona aún puede ejercer su voluntad y decir: "No".

3. **Posesión:** Aquí la persona humana es anulada. El hombre pierde el control total de su libre albedrío; su mente ha sido tomada por el diablo y ahora él dirige su vida y sus acciones. Pero, aun así, el hombre será responsable de sus actos y tendrá que dar cuentas.

Por ejemplo, Adolf Hitler, en Alemania, mató a 6 millones de personas para "purificar la raza humana". Joseph Stalin, en Rusia, ejecutó a miles de personas porque se oponían a su gobierno. Ellos darán cuentas.

No podemos olvidar esto: Hoy somos producto de nuestras elecciones de ayer, y mañana seremos producto de las elecciones de hoy. No podemos cambiar el pasado, pero sí podemos decidir qué hacer con nuestro futuro.

¿Cuáles son las decisiones que le dan el control de nuestra vida al enemigo?

- **La falta de perdón:** abre puertas a la enfermedad, la soledad, la amargura y la opresión (2 Corintios 2.10-11).

- **La ira descontrolada:** Da también lugar a la enfermedad, las relaciones rotas y la rebeldía (Efesios 4.26).

- **La ansiedad** (preocupación o temor): desestabiliza a la persona y la desenfoca de Dios, de su amor y poder (1 Pedro 5.7).

- **Las contiendas:** Dividen a familias, iglesias y amistades; pervierten el corazón del hombre (Santiago 3.14-16).

- **Los objetos dedicados a otros dioses:** libros, imágenes, anillos, estampas o amuletos (2 Corintios 6.16).

Todo esto que permitimos en nuestra vida, abre brecha al diablo en nuestra mente y debilita nuestra voluntad.

¿Cómo recuperamos el derecho que le hemos cedido al diablo?

"25que con mansedumbre corrija a los que se oponen, por si quizá Dios les conceda que se arrepientan para conocer la verdad, 26y escapen del lazo del diablo, en que están cautivos a voluntad de él". 2 Timoteo 2.25-26

Para recuperar la libertad que Dios nos dio, debemos reconocer que nuestro camino está errado, arrepentirnos de nuestros pecados y, voluntariamente, renunciar a los pactos que hayamos hecho. Arrepentimiento significa dolor por haber ofendido a Dios y deseos de cambiar de rumbo. Para renovar nuestro pacto con Dios debemos renunciar a los pactos con el mundo, con nuestra carne y con el diablo.

"41Velad y orad, para que no entréis en tentación; el espíritu a la verdad está dispuesto, pero la carne es débil". Mateo 26.41

PREGUNTAS FINALES

- ❖ Con respecto a la voluntad del hombre, ¿cuál es la diferencia entre Dios y el diablo?
- ❖ ¿Cómo son las etapas de opresión, obsesión y posesión?
- ❖ ¿Cómo abrimos la puerta al diablo y cómo podemos cerrarla?

APLICACIÓN

- ✓ El líder hará el llamado a quienes quieran recibir al Señor y dejar de ser esclavos del diablo. Hará la oración de confesión de fe con ellos para tener libertad en Cristo.
- ✓ Luego orará con quienes reconocen que hay áreas de su vida en las que todavía hay opresión u obsesión, y les llevará a renunciar y cerrar puertas al enemigo.
- ✓ Recuerde a las personas que deben descartar los objetos dedicados a otros dioses y tomar la decisión de vivir según los frutos del Espíritu.

LA CASA QUE DIOS ANHELA EDIFICAR

PASAJE BÍBLICO

"7...yo los llevaré a mi santo monte, y los recrearé en mi casa de oración; sus holocaustos y sus sacrificios serán aceptos sobre mi altar; porque mi casa será llamada casa de oración para todos los pueblos". Isaías 56.7

OBJETIVOS

- Quitar la idea errada de lo que es la casa de Dios y establecer lo que la Biblia señala que debe ser.
- Atraer a la casa de Dios al perdido, al enfermo y al oprimido para que sea sano, salvo y libre.

INTRODUCCIÓN

En este momento hay muchas iglesias cristianas alrededor del mundo, pero muy pocas casas edificadas por Dios. ¿Cómo es la casa que Dios anhela edificar? ¿Cuáles son las características de una iglesia conforme al corazón de Dios? ¿Cuál es el diseño para su casa? Hoy conoceremos siete características de la casa que Dios anhela edificar.

1. **Un lugar de oración personal y colectiva para todas las naciones y pueblos.**

   El tabernáculo de David será restaurado para que todas las naciones, razas (judíos y gentiles), hombres, mujeres y niños vengan y busquen a Dios en oración. Todo lo que Él creó tiene un nombre y define el carácter y el propósito por el que se le llama así. Si Dios llamó a su casa, "casa de oración", entonces su propósito principal es la oración, la comunión con Él. Sin embargo, muy pocas iglesias lo practican y por eso no está la presencia de Dios en esas casas. En la Biblia vemos que Jesús desató el celo por la casa de Dios.

   "16...y dijo a los que vendían palomas: Quitad de aquí esto, y no hagáis de la casa de mi Padre casa de mercado. 17Entonces se acordaron sus discípulos que está escrito: El celo de tu casa me consume". Juan 2.16-17

2. **Un lugar donde los enfermos son sanados y liberados.**

   "14Y vinieron a él (a Jesús) en el templo ciegos y cojos, y los sanó". Mateo 21.14 (Énfasis agregado)

   La casa de Dios es el lugar donde son traídos los enfermos, deprimidos y pobres de espíritu para que sean sanados, liberados y restaurados. Si la gente acude al médico o al brujo es porque en su iglesia no ocurre nada.

3. **Un lugar donde los niños y los adultos adoran y aclaman a Dios en alabanza.** La casa de Dios es para unir a las generaciones y que alaben juntas a Dios.

   "15Pero los principales sacerdotes y los escribas, viendo las maravillas que hacía, y a los muchachos aclamando en el templo y diciendo: ¡Hosanna al Hijo de David! se indignaron, 16y le dijeron: ¿Oyes lo que éstos dicen? Y Jesús les dijo: Sí; ¿nunca leísteis: De la boca de los niños y de los que maman perfeccionaste la alabanza?". Mateo 21.15-16

4. **Un lugar de alabanza y adoración extravagante.**

"¹⁴Y David danzaba con toda su fuerza delante de Jehová; y estaba David vestido con un efod de lino. ¹⁵Así David y toda la casa de Israel conducían el arca de Jehová con júbilo y sonido de trompeta. ¹⁷Metieron, pues, el arca de Jehová, y la pusieron en su lugar en medio de una tienda que David le había levantado; y sacrificó David holocaustos y ofrendas de paz delante de Jehová." 2 Samuel 6.14, 15 y 17

La alabanza que David danzaba fue *"jalál"*, una alabanza extravagante que en hebreo significa celebración, sonido reluciente, radiante, brillante, resplandeciente, vivo. Es clamar de forma vociferante.

5. **Un lugar donde se enseña, se instruye y se equipa al pueblo con la palabra de Dios.**

"⁴⁷Y enseñaba cada día en el templo; pero los principales sacerdotes, los escribas y los principales del pueblo procuraban matarle". Lucas 19.47

La casa de Dios debe ser un lugar donde los creyentes sean entrenados para la guerra espiritual, tengan éxito en la vida y lleven esto a sus casas, vecindarios, ciudades y naciones.

6. **Un lugar para llenar de inconversos y para que éstos sean salvos.**

"²³Dijo el señor al siervo: Ve por los caminos y por los vallados, y fuérzalos a entrar, para que se llene mi casa". Lucas 14.23

Jesús anhela su casa llena. Tenemos que forzar, empujar, traer a los inconversos y hacerlos entrar. La palabra **fuérzalos** es el vocablo griego *"anagkázo"* que significa forzar con violencia extrema, por una orden con autoridad, por persuasión continua. La casa de Dios es para llenarla de inconversos, para que oren y sean salvos y sanos, para que traigan a sus hijos y juntos le den al Señor una alabanza extravagante.

7. **Un lugar donde se derrama y se manifiesta la presencia de Dios.**

"³Y le dijo Jehová: Yo he oído tu oración y tu ruego que has hecho en mi presencia. Yo he santificado esta casa que tú has edificado, para poner mi nombre en ella para siempre; y en ella estarán mis ojos y mi corazón todos los días". 1 Reyes 9.3

Lo que trae a la gente a una iglesia no es el carisma del hombre, el coro grande o la buena música, sino la presencia manifestada de Dios. Hoy en día hay muchos lugares que no califican como casa de Dios porque no hay oración, salvación ni sanidad, y la alabanza es tradicional y religiosa. ¡Edifiquemos verdaderas casas de Dios y llevemos su paz a todas las casas de la ciudad, del país y del mundo!

PREGUNTAS FINALES

❖ ¿Cuáles son las siete características de la casa que Dios anhela edificar?
❖ ¿Qué significa *"jalál"*?
❖ ¿Qué atrae a la gente a la casa de Dios?

APLICACIÓN

✓ El líder hará el llamado de salvación para las personas que quieren entrar a la casa de Dios y ser sanos, salvos y libres. Posteriormente las guiará a hacer la oración del pecador.

LISTOS PARA LA COSECHA

PASAJE BÍBLICO

"¹⁹Y saldrá de ellos acción de gracias, y voz de nación que está en regocijo, y los multiplicaré, y no serán disminuidos; los multiplicaré, y no serán menoscabados". Jeremías 30.19

OBJETIVOS

- Preparar al pueblo para recoger la cosecha de toda semilla que haya sembrado.
- Que las personas conozcan a un Dios de pactos, que da al que siembra y cumple sus promesas.

INTRODUCCIÓN

Así como se celebra cuando llegan las primicias, también debemos celebrar cuando llegue toda cosecha y traer a Dios una ofrenda de agradecimiento.

¿Qué tenemos que hacer mientras llega la cosecha?

1. No desmayemos.

"⁹Un poco de levadura leuda toda la masa". Gálatas 5.9

Las bendiciones más grandes vienen después de un gran período de espera. No considere como opción darse por vencido, desanimarse o desmayar, pues estamos en tiempo de cosecha y usted no puede quedarse atrás. No se queje ni murmure, siga adelante, confiando en un Dios real.

2. Esperemos con paciencia hasta que llegue la cosecha.

"⁷Por tanto, hermanos, tened paciencia hasta la venida del Señor. Mirad cómo el labrador espera el precioso fruto de la tierra, aguardando con paciencia hasta que reciba la lluvia temprana y la tardía". Santiago 5.7

Mientras esperamos, muchas cosas están sucediendo en el mundo espiritual: los ángeles están ministrando, los demonios son confrontados y estrategias divinas se están desarrollando. Dios está moviendo gente a su vida, ordenando y tocando corazones para que llegue la bendición. Nunca crea que el tiempo de espera es una temporada de inactividad; Dios está moviendo su mano a favor de usted.

3. Venir con una actitud de acción de gracias, oración y adoración a Dios.

"¹⁷Orad sin cesar. ¹⁸Dad gracias en todo, porque ésta es la voluntad de Dios para con vosotros en Cristo Jesús". 1 Tesalonicenses 5.17-18

Para recoger una cosecha abundante de parte de Dios, no hay nada mejor que darle gracias antes de recibirla. Eso alegra el corazón de nuestro Padre y asegura nuestra cosecha. Él nunca se queda con nada y toda semilla la retribuye multiplicada.

4.   Creer que Dios nos dará una cosecha justa.

"¹¹Porque como la tierra produce su renuevo, y como el huerto hace brotar su semilla, así Jehová el Señor hará brotar justicia y alabanza delante de todas las naciones". Isaías 61.11

Dios es nuestro Padre y siempre está buscando la manera de bendecirnos más y mejor. Si creemos en Él, honrará nuestra fe con una buena cosecha. Dios es justo con nuestra fe y no nos dejará avergonzados. Nuestro Padre nos dará una cosecha abundante.

Es importante que cuando reciba su cosecha, recuerde dar sus primicias a Dios y guardar semilla para volver a sembrar. De este modo, el ciclo de su bendición nunca se cortará y será bendito usted y sus generaciones.

"³⁸Dad, y se os dará; medida buena, apretada, remecida y rebosando darán en vuestro regazo; porque con la misma medida con que medís, os volverán a medir". Lucas 6.38

PREGUNTAS FINALES

- ❖   ¿Usted ha sembrado una semilla?
- ❖   ¿Ha esperado su cosecha?
- ❖   ¿Por qué debemos esperar la cosecha con acción de gracias y adoración?

APLICACIÓN

- ✓   El líder pedirá testimonios en el grupo de personas que hayan sembrado y recibido una cosecha abundante de parte de Dios.
- ✓   Luego hará el llamado a quienes no conocían a Dios para que Él siembre la semilla del perdón y la salvación en sus corazones, y cosechen paz y bendición.
- ✓   Finalmente orará por quienes han sembrado en la casa de Dios para que reciban una cosecha poderosa.

LAS DEMANDAS DE AMOR DE DIOS

PASAJE BÍBLICO

"²⁸Les dijo, pues, Jesús: Cuando hayáis levantado al Hijo del Hombre, entonces conoceréis que yo soy, y que nada hago por mí mismo, sino que según me enseñó el Padre, así hablo". Juan 8.28

OBJETIVOS

* Enseñar al grupo a reconocer las demandas de amor de Dios y obedecerlas.
* Presentar el amor de Dios al inconverso para que crea y sea salvo.

INTRODUCCIÓN

En ocasiones, a muchos nos sucede que no entendemos los métodos que usa Dios. Cuando Él nos pide que hagamos algo, nos quejamos y nos cuesta obedecer porque no conocemos las formas que emplea para llevarnos a la madurez y bendecirnos. No nos damos cuenta que nos está haciendo demandas de amor para darnos algo mejor. Cada vez que Dios quiera llevarnos a otro nivel, nos hará demandas de amor.

¿Qué son las demandas de amor de Dios?

Cada milagro en nuestra vida comienza con una demanda de amor de parte de Dios. Estas demandas son diferentes para cada persona. Dios sólo le va a pedir aquello que a usted le cueste soltar y es allí donde se prueba su amor por Él. Por eso se llaman "demandas de amor".

Grandes cosas suceden cuando obedecemos las demandas de amor de Dios:

1. **Surgen cambios en nuestro interior.**

   "¹⁰...cuando (Elías) llegó a la puerta de la ciudad, he aquí una mujer viuda que estaba allí recogiendo leña; y él la llamó, y le dijo... ¹¹...Te ruego que me traigas también un bocado de pan en tu mano. ¹²Y ella respondió: Vive Jehová tu Dios, que no tengo pan cocido; solamente un puñado de harina tengo en la tinaja, y un poco de aceite en una vasija; y ahora recogía dos leños, para entrar y prepararlo para mí y para mi hijo, para que lo comamos, y nos dejemos morir. ¹³Elías le dijo: No tengas temor; ve, haz como has dicho; pero hazme a mí primero de ello una pequeña torta cocida debajo de la ceniza, y tráemela; y después harás para ti y para tu hijo. ¹⁴Porque Jehová Dios de Israel ha dicho así: La harina de la tinaja no escaseará, ni el aceite de la vasija disminuirá, hasta el día en que Jehová haga llover sobre la faz de la tierra". 1 Reyes 17.10-14 (Énfasis agregado)

   Ésta fue una demanda de amor de Dios para bendecir a la viuda y sustentar a su siervo Elías. Tenemos que aprender a responder a las demandas de amor de Dios. Tendemos a pensar que si obedecemos, perderemos algo vital. Pero éste será en realidad el principio del ciclo de milagros para comenzar a vivir en lo sobrenatural.

2. **Recibimos la multiplicación de nuestra inversión.**

   Cuando Dios le pide que le entregue algo bueno es porque quiere darle algo mejor; quiere llevarlo a otro nivel. Usted no sabe qué hay del otro lado hasta que obedece a esas demandas de amor. No deje que el mundo lo detenga. Cuando usted se mueva en obediencia, Dios le dará la multiplicación de lo que cedió. Cuando Dios le haga una demanda de amor, no consulte con mucha gente porque no lo van a entender y detendrán su bendición con opiniones negativas y egoístas. Dios está buscando gente obediente y la falta de obediencia no debe ser pretexto para impedir su bendición. Pídale a Dios la gracia y el favor para decir: "sí Señor".

3. **Nos acercamos más al corazón de Dios.**

La adoración es lo más cercano al corazón de Dios. Nuestra obediencia es adoración a Dios. La viuda adoró a Dios con su obediencia; cumplió con su demanda de amor aún en medio de su peor crisis. Hay secretos de Dios que nunca le serán revelados sino hasta que usted le diga "sí" y cumpla con sus demandas de amor.

4. **Permanecemos fuertes y firmes.**

Nuestro deber es obedecer siempre, incluso en tiempos difíciles.

"¹Después hubo hambre en la tierra, además de la primera hambre que hubo en los días de Abraham; y se fue Isaac a Abimelec rey de los filisteos, en Gerar. ²Y se le apareció Jehová, y le dijo: No desciendas a Egipto; habita en la tierra que yo te diré… ¹²Y sembró Isaac en aquella tierra, y cosechó aquel año ciento por uno; y le bendijo Jehová". Génesis 26.1, 2, 12

Usted no va a tener una vida fácil si desobedece a Dios. Puede retener lo que Dios le haya pedido, pero llegará el momento en que deseará haberlo rendido. Dios sólo nos demanda amor para darnos mayor bendición. Lo que hoy es sacrificio, mañana es bendición; lo que hoy duele soltar, mañana traerá un gozo incomparable. Hay gente que dice tener mucha fe o que ha alcanzado un nivel espiritual muy alto, y creen estar exentos de las demandas de amor de Dios. Contrariamente, cuanto más crecemos, más debemos dar y obedecer. Por muy alto que usted haya llegado, Dios siempre estará más arriba.

PREGUNTAS FINALES

❖ ¿Qué son las demandas de amor de Dios?
❖ ¿Por qué debemos obedecer a las demandas de amor?
❖ ¿Qué pasa cuando obedecemos a las demandas de amor de Dios?
❖ ¿Cuál fue la última demanda de amor que Dios le pidió?

APLICACIÓN

✓ El líder invitará a las personas que no conocen a Jesús a cumplir la demanda de amor de Dios. Le entregará su vida y su corazón para que Él pueda perdonar sus pecados, sanar sus heridas y llenarles de paz, gozo y amor.
✓ Luego invitará a los demás a hacer un pacto con Dios para cumplir con sus demandas de amor, sin quejarse ni dudar.

EL CELO POR LA CASA DE DIOS

PASAJE BÍBLICO

"8Jehová, la habitación de tu casa he amado, y el lugar de la morada de tu gloria". Salmos 26.8

OBJETIVOS

- Enseñar al pueblo a honrar y tener celo santo por la casa de Dios.
- Comprender que cada creyente es templo del Espíritu Santo y casa de Dios.

INTRODUCCIÓN

La casa de Dios, el lugar donde nos congregamos a adorar su nombre, es lugar santo. Debemos tratarlo como tal y cuidarlo. Hoy vamos a hablar del celo que debe haber en nuestro corazón por la casa de Dios, y cómo debemos cuidarla y honrarla para que la presencia de nuestro Padre celestial siempre permanezca en ella.

¿Qué es el celo por la casa?

La palabra **celo** es el vocablo griego *"zelos"*, que significa anhelo, entusiasmo, deseo intenso, entrega apasionada, cuidado y esmero para hacer algo. Este celo no es malo, no es celo de envidia sino de anhelo, un deseo intenso.

"17...El celo (el fervor del amor) por tu casa me consumirá (seré consumido con el celo por el honor de tu casa)". Juan 2.17 Biblia Amplificada

¿Qué trata de decirnos Jesús en este versículo? Jesús ama su casa, tiene un anhelo intenso de que esté limpia y en orden. ¡Que el celo de Dios por dar honra a su casa nos consuma como a Jesús!

Ilustración: Muchas casas de Dios son un mercado; la gente conversa durante el servicio, intercambia tarjetas de negocios, habla por teléfono, las mujeres se maquillan, cambian los pañales a los bebés, la gente toma bebidas, comida, mastica chicles y demás. Muchos hablan mientras se ministra la adoración a Dios. Esto es señal de que se ha perdido el respeto por la casa de nuestro Padre.

- Dios dice: "por eso mi presencia no se manifiesta; por eso los enfermos no son sanados y los inconversos no son salvos; por eso siembran mucho, recogen poco y los cielos están cerrados".

- En las iglesias, los ujieres encuentran botellas de bebidas, huesos de pollo, papeles, servilletas, chicles…, "de todo" debajo de los asientos. Esto entristece el corazón de Dios. Debemos tener celo santo por su casa.

- Hay gente que no tiene celo, no honra ni ama la casa de Dios porque no tiene revelación de que Él vive en ella.

"4Una cosa he demandado a Jehová, ésta buscaré; que esté yo en la casa de Jehová todos los días de mi vida, para contemplar la hermosura de Jehová, y para inquirir en su templo". Salmos 27.4

Ilustración: Antes íbamos al bar, al cine, al estadio o a la discoteca. Éramos clientes distinguidos y queríamos estar siempre de fiesta. Ahora prohibimos a nuestros hijos o a nuestro/a esposo/a que vayan a la casa de Dios; nos da fastidio que estén todos los días allí. ¡Qué error! ¡Qué mal agradecidos somos!

¿Qué vamos a hacer para encender el celo, el amor, la pasión y el fervor por la honra a la casa de Dios?

1. El juicio debe empezar con nosotros mismos.

"17Porque es tiempo de que el juicio comience por la casa de Dios; y si primero comienza por nosotros, ¿cuál será el fin de aquellos que no obedecen al evangelio de Dios?". 1 Pedro 4.17

Lo más triste es que la mayor parte de quienes no cuidan la casa de Dios son los creyentes y no los visitantes. Tomemos la responsabilidad por haber hecho de la casa de Dios un mercado; tomemos responsabilidad por no cuidarla, no honrarla y por nuestra falta de amor hacia ella. ¡Arrepintámonos delante de Dios!

2. Debemos convertirnos en atalayas de su casa.

"17Hijo de hombre, yo te he puesto por atalaya a la casa de Israel; oirás, pues, tú la palabra de mi boca, y los amonestarás de mi parte". Ezequiel 3.17

Usted es un vigilante, un guardián de la casa de Dios. Cuando vea a alguien destruyéndola o ensuciándola, amonéstelo. ¡Es su responsabilidad delante de Dios!

¿Toma usted responsabilidad por no haber cuidado la casa de Dios? ¿Está dispuesto a ser un vigilante continuo de su casa y pedirle a Dios celo y amor por ella? ¡Tome hoy la decisión de amar la casa de Dios!

La casa de Dios es más que un edificio material, es el hombre mismo

La casa de Dios no es solamente el edificio material sino también el hombre como tal. El hombre y la mujer son templo del Espíritu Santo de Dios. Por tanto, debe también a aprender a honrar y respetar su propio cuerpo en todas las maneras posibles para que Dios tenga morada en su vida.

"19¿O ignoráis que vuestro cuerpo es templo del Espíritu Santo, el cual está en vosotros, el cual tenéis de Dios, y que no sois vuestros?". 1 Corintios 6.19

Ámese a usted mismo, tenga celo de lo que sus ojos ven, de lo que sus oídos oyen y de lo que sus manos hacen. Si no está agradando a Dios con su cuerpo, entonces su casa está sucia y desordenada. No hay honra para Dios allí, y Él no puede habitar con usted.

PREGUNTAS FINALES

❖ ¿Qué es el celo por la casa de Dios?
❖ ¿Qué debemos hacer para encenderlo?

APLICACIÓN

✓ El líder invitará a las personas que no conocen a Jesús a recibirlo en su corazón y a restaurar sus vidas para que sean habitación de Dios.
✓ Luego guiará a los miembros del grupo a un pacto con Dios para que cuiden su templo, tanto el edificio material como el de su propio cuerpo.

CONQUISTANDO LA TIERRA PROMETIDA

PASAJE BÍBLICO

"³Yo os he entregado, como lo había dicho a Moisés, todo lugar que pisare la planta de vuestro pie". Josué 1.3

OBJETIVOS

- Preparar al pueblo de Dios para la conquista de la ciudad mediante guerra espiritual.
- Conquistar para el reino de Dios las almas que vienen al grupo.

INTRODUCCIÓN

En cuarenta años el pueblo de Israel peleó cuatro batallas y la guerra era algo ocasional y defensivo. Pero una vez que entraron a la Tierra Prometida, la guerra se hizo continua y ofensiva. Debían ir al ataque y tomar lo que era suyo. Cuando entramos a nuestra tierra prometida, debemos estar listos para la guerra. Para eso debemos cambiar la mentalidad del desierto y comprender que la guerra ya no será esporádica sino permanente.

"¹Ahora, Jericó estaba cerrada, bien cerrada, a causa de los hijos de Israel; nadie entraba ni salía. ²Mas Jehová dijo a Josué: Mira, yo he entregado en tu mano a Jericó y a su rey, con sus varones de guerra". Josué 6.1, 2

¿Qué representa esto para nosotros?

Jericó es un lugar para hacer guerra. Fue la primera ciudad que el pueblo de Dios debía conquistar. Desde entonces, los israelitas entraron en una serie de enfrentamientos con los distintos pueblos para conquistar las ciudades que Dios les había dado.

¿Por qué debemos cambiar la mentalidad del desierto?

La mentalidad del desierto se distingue por la queja, la murmuración y la cobardía. Sin cambio de mentalidad no hay espíritu de guerra. Se calcula que un 95 por ciento de los creyentes tiene con el enemigo un pacto de neutralidad. ¿Qué significa esto? Decirle al enemigo: "si tú no te metes conmigo, yo no me meto contigo"; son cristianos que no hacen nada por el reino de Dios por miedo a los contraataques satánicos. Eso es un pacto de pasividad y neutralidad. Sin embargo, Jesús dijo: *"el que no es conmigo, es contra mí". Mateo 12.30*

Cuando usted cruza el Jordán, tiene que cambiar toda mentalidad de desierto, romper todo pacto de neutralidad y entrar en guerra. Usted debe aprender a ser un guerrero, dejar de ser neutral y comenzar a pelear con todas sus fuerzas. Un buen ejemplo de esto es la alabanza. En el desierto, la alabanza atraía la presencia de Dios, y hoy se emplea también para hacer guerra. El Vino Nuevo usa la alabanza y la adoración para la guerra espiritual. Cuando Josué tomó Jericó, la alabanza fue el arma usada por el pueblo para mover la mano de Dios y entregar la ciudad en sus manos.

"¹³Y los siete sacerdotes, llevando las siete bocinas de cuerno de carnero, fueron delante del arca de Jehová, andando siempre y tocando las bocinas; y los hombres armados iban delante de ellos, y la retaguardia iba tras el arca de Jehová, mientras las bocinas tocaban continuamente... ¹⁶Y cuando los sacerdotes tocaron las bocinas la séptima vez, Josué dijo al pueblo: Gritad, porque Jehová os ha entregado la ciudad". Josué 6.13, 16

Jericó es el lugar para quitar el anatema de nuestra vida.

"¹⁷Y será la ciudad anatema a Jehová, con todas las cosas que están en ella... ¹⁸Pero vosotros guardaos del anatema; ni toquéis, ni toméis alguna cosa del anatema, no sea que hagáis anatema el campamento de Israel, y lo turbéis". Josué 6.17-18

¿Qué es anatema?

En el Antiguo Testamento, la traducción de esta palabra significa "apartado", de forma que no podía ser utilizado para fines profanos e implicaba que era decisión exclusiva de Dios. Específicamente, se refería al botín de guerra cuyo uso o completa destrucción Jehová lo determinaba. Él demandaba el diezmo del botín de las ciudades conquistadas por Israel. Todo aquello que pertenece a Dios, y nosotros lo tomamos para nuestro uso, se convertirá en anatema o maldición, y todo lo que traemos de nuestro pasado o desagrada a Dios y ocupa su lugar en nuestro corazón, lo será también.

La razón por la que a muchas personas les va mal con su familia o el dinero no les rinde es porque están tomando algo ajeno. Cada vez que usted recibe un cheque semanal es una victoria que Dios le ha dado y Él espera que usted diezme lo que es de Él. No toque ese dinero, pues si usted toma lo que está destinado para Dios, esto se volverá maldito. El diezmo y la ofrenda son un arma de guerra poderosa para que Dios le siga dando victorias. ¡Usted tiene en sus manos un arma de guerra!

¿Cuáles son las consecuencias de tomar el anatema?

"¹⁵...y el que fuere sorprendido en el anatema, será quemado, él y todo lo que tiene, por cuanto ha quebrantado el pacto de Jehová, y ha cometido maldad en Israel". Josué 7.15

Anatema es todo lo que hacemos con mentiras, a escondidas y que encierra codicia. Al entrar a la Tierra Prometida es necesario destruir y quitar el anatema de nuestra vida para tener victoria frente al enemigo. Si éste encuentra anatema en su casa, eso le dará derecho legal sobre su vida, y entonces él ganará la batalla.

PREGUNTAS FINALES

- ❖ ¿Por qué debemos cambiar la mentalidad de desierto?
- ❖ ¿Qué es el anatema?
- ❖ ¿Por qué debemos quitarlo de nuestra vida?

APLICACIÓN

- ✓ El líder invitará a aquellos que reconozcan que han tenido anatema en su vida a quitarlo para agradar a Dios. Orará con ellos para pedir perdón y para que reciban el espíritu de guerra contra el enemigo.
- ✓ Posteriormente invitará a las nuevas personas a aceptar a Jesús como su Señor y Salvador.

¿QUÉ ESTÁ HACIENDO DIOS HOY?

PASAJE BÍBLICO

"³Porque yo derramaré aguas sobre el sequedal, y ríos sobre la tierra árida; mi Espíritu derramaré sobre tu generación, y mi bendición sobre tus renuevos". Isaías 44.3

OBJETIVOS

- Acercar a los incrédulos a Cristo para que reciban salvación y vida eterna.
- Realinear a los creyentes con la voluntad de Dios para este tiempo.

INTRODUCCIÓN

Estamos viviendo en los tiempos más maravillosos que la raza humana haya visto antes. Somos una generación privilegiada porque en este siglo Dios traerá un gran avivamiento (el último de la historia de la humanidad, antes de la segunda venida de Cristo).

¿Qué traerá el avivamiento de Dios?

El avivamiento de Dios sobre la tierra traerá tres sucesos importantes:

1. **La cosecha de almas más grande de todos los tiempos.**

   Más gente será salva en este siglo que en todo el resto de la Historia. Por eso la iglesia debe enfocarse en lo que Dios está haciendo hoy. La iglesia de Cristo ha estado envuelta en otras cosas; ha estado dormida y lejos de su propósito principal. Pero Dios levantará hombres y mujeres que amen las almas, dispuestos a cumplir el mandato de Jesús y a que hablen del Evangelio.

   "³⁰El fruto del justo es árbol de vida; y el que gana almas es sabio". Proverbios 11.30

   ### ¿Qué sucede en los Cielos cuando un pecador se arrepiente?

   "⁷Os digo que así habrá más gozo en el cielo por un pecador que se arrepiente, que por noventa y nueve justos que no necesitan de arrepentimiento". Lucas 15.7

   Nunca tome la salvación de una persona livianamente. Para Dios, un alma es más importante que todo el oro y la plata de este mundo. Si usted ama a Dios y quiere hacerlo feliz, ocúpese de lo que Él más ama: sus hijos. Jesús dio su vida para que los hijos perdidos vuelvan a casa.

   Además de predicar el Evangelio y llevar a las personas a la salvación de su alma y el perdón de sus pecados, debemos prepararnos para recibir, afirmar e instruir a las nuevas personas en la doctrina y la Palabra de Dios. Hoy día se predica el Evangelio por la radio, la televisión y la prensa escrita. ¡La cosecha más grande de almas viene!

2. El movimiento de milagros más importante de todos los tiempos.

"[20]Porque el Padre ama al Hijo, y le muestra todas las cosas que él hace; y mayores obras que éstas le mostrará, de modo que vosotros os maravilléis". Juan 5.20

Dios deja de hacer milagros ordinarios para hacer milagros extraordinarios.

"[11]Y hacía Dios milagros extraordinarios por mano de Pablo, [12]de tal manera que aun se llevaban a los enfermos los paños o delantales de su cuerpo, y las enfermedades se iban de ellos, y los espíritus malos salían". Hechos 19.11-12

¿Qué necesita Dios para hacer milagros?

Dios sólo necesita nuestra fe para activar el poder sanador y restaurador de su mano. Cuando no hay fe, los milagros no suceden.

"[58]Y (Jesús) no hizo allí muchos milagros, a causa de la incredulidad de ellos". Mateo 13.58 Énfasis agregado

3. Una gran prosperidad financiera para el pueblo de Dios.

Cada vez que Dios trae un avivamiento de salvación y milagros, trae también prosperidad financiera. ¿Por qué? Porque donde hay almas convertidas Dios se derrama con todo lo que es. Él sabe que se necesita mucho dinero para lograr y mantener una cosecha masiva de almas. La salvación es gratuita, pero llevarla, cuesta.

¿A quiénes va a bendecir Dios? Dios prosperará a aquellos que tienen un corazón dador y una mentalidad de Reino. Dios bendecirá a los dadores radicales.

¿Cómo vamos a recibir todo esto? Hay dos condiciones o vías para recibir la salvación masiva de las almas, los milagros y la prosperidad financiera:

- **La santidad** (Efesios 5.26-27). La persona que antes pecaba sin problemas de conciencia, ahora se siente mal porque el Espíritu le redarguye de pecado. Hay un gran sentir de santidad en el pueblo de Dios.

- **La fe.** Por medio de ella recibimos todo lo que Dios nos ha prometido (Hebreos 6.12).

PREGUNTAS FINALES

- ❖ ¿Qué sucede en el Cielo cuando un pecador se arrepiente?
- ❖ ¿Para quién es la bendición financiera que Dios va a derramar?
- ❖ ¿Cómo se reciben la salvación masiva, los milagros y la prosperidad financiera?

APLICACIÓN

- ✓ El líder invitará a las personas a que le entreguen su vida a Jesús y a prepararse para recibir salvación, milagros y prosperidad financiera.
- ✓ Luego invitará a los demás a hacer un pacto con Dios para alinearse con su voluntad y ser parte de su ejército y del avivamiento de este último tiempo.

LOS PARTOS EN EL ESPÍRITU

PASAJE BÍBLICO

"17Como la mujer encinta cuando se acerca el alumbramiento gime y da gritos en sus dolores, así hemos sido delante de ti, oh Jehová". Isaías 26.17

OBJETIVOS

- Enseñar a las personas a pelear sus bendiciones y el cumplimiento de sus sueños en Dios.
- Que las personas nuevas conozcan a un Dios real y aprendan a buscar su voluntad para sus vidas.

INTRODUCCIÓN

Hoy vamos a aprender algo muy especial. Para entenderlo mejor, es bueno establecer una comparación con la mujer cuando queda embarazada y da a luz un niño. En el espíritu sucede también algo parecido. Un parto en el espíritu es traer, al mundo natural, algo concebido en el mundo espiritual.

Dios embaraza nuestro "vientre" espiritual con la simiente de su Palabra. Él nos habla en intimidad y, cuando le creemos, esa Palabra se va desarrollando, se va gestando en nuestro vientre espiritual. A veces pasan días, meses e incluso años hasta que estamos realmente listos para dar a luz.

Uno de los significados de la palabra **visión** es embarazarse de los propósitos de Dios en la intimidad de la oración; es recibir una palabra divina en la intimidad. Hay palabras proféticas, sueños y visiones que Dios pone en nuestro espíritu para embarazarnos y darlos a luz. Todos los hombres y mujeres de Dios pasaron, pasan y pasarán a través de esto; así ha sido en todos los tiempos. Veamos algunos ejemplos:

Pablo tuvo dolores de parto.

"19Hijitos míos, por quienes vuelvo a sufrir dolores de parto, hasta que Cristo sea formado en vosotros". Gálatas 4.19

El apóstol Pablo seguía empujando y dando a luz la madurez espiritual de los gálatas; seguía orando, intercediendo y enseñando hasta que tuvieran un cambio de mentalidad, hasta que pasaran una metamorfosis y maduraran. Cuando se está dando a luz una promesa en el espíritu, no se puede parar hasta que ésta se haga realidad. Cuando pase la aflicción, tendremos el gozo de haber traído la voluntad de Dios al mundo.

La iglesia El Rey Jesús con dolores de parto.

Los últimos meses y semanas, antes de la inauguración de nuestro nuevo templo, fueron de dolor de parto espiritual. La guerra se incrementó, los ataques se multiplicaron y tuvimos que aumentar la fe y el trabajo en todas las áreas; finalmente, logramos el rompimiento y dimos a luz el sueño de Dios: un tabernáculo de adoración.

Una vez terminado el parto fue tiempo de celebrar, gozarse y hacer fiesta por el logro obtenido.
"21La mujer cuando da a luz, tiene dolor, porque ha llegado su hora; pero después que ha dado a luz un niño, ya no se acuerda de la angustia, por el gozo de que haya nacido un hombre en el mundo. 22También vosotros ahora tenéis tristeza; pero os volveré a ver, y se gozará vuestro corazón, y nadie os quitará vuestro gozo". Juan 16.21, 22

Dios embaraza nuestro vientre espiritual con una visión o un propósito que Él quiere traer a la tierra. Pero desde el momento de la gestación de ese sueño o visión, hasta su cumplimiento, no sabemos cuánto tiempo puede pasar. La gestación espiritual tiene un proceso que puede ser rápido o tomar mucho tiempo. Por eso la palabra de Dios dice:

"¹Echa tu pan sobre las aguas; porque después de muchos días lo hallarás. ²Reparte a siete, y aun a ocho; porque no sabes el mal que vendrá sobre la tierra". Eclesiastés 11.1

María, la madre de Jesús, preguntó: "¿Cómo será esto?".

"²⁸Y entrando el ángel en donde ella (María) estaba, dijo: ¡Salve, muy favorecida! El Señor es contigo; bendita tú entre las mujeres. ²⁹Mas ella, cuando le vio, se turbó por sus palabras, y pensaba qué salutación sería ésta. ³⁰Entonces el ángel le dijo: María, no temas, porque has hallado gracia delante de Dios. ³¹Y ahora, concebirás en tu vientre, y darás a luz un hijo, y llamarás su nombre JESÚS. ³²Éste será grande, y será llamado Hijo del Altísimo; y el Señor Dios le dará el trono de David su padre; ³³y reinará sobre la casa de Jacob para siempre, y su reino no tendrá fin. ³⁴Entonces María dijo al ángel: ¿Cómo será esto? pues no conozco varón. ³⁵Respondiendo el ángel, le dijo: El Espíritu Santo vendrá sobre ti, y el poder del Altísimo te cubrirá con su sombra; por lo cual también el Santo Ser que nacerá, será llamado Hijo de Dios". Lucas 1.28-35

¿Cómo podemos hacer que este bebé nazca y el parto sea exitoso?

Dios pone en nosotros una visión, un sueño por alcanzar, pero nosotros lo tenemos que gestar por medio de la fe y el trabajo duro para darlo a luz en intercesión.

"²⁶Y de igual manera el Espíritu nos ayuda en nuestra debilidad; pues qué hemos de pedir como conviene, no lo sabemos, pero el Espíritu mismo intercede por nosotros con gemidos indecibles". Romanos 8.26

Si usted tiene sueños, si Dios le ha mostrado parte de su futuro, comience a trabajar, a creer y a interceder para darlo a luz en el espíritu y traer al mundo natural lo que Dios le mostró en el mundo espiritual. La intercesión es dar a luz los propósitos que Él depositó en nuestro espíritu.

PREGUNTAS FINALES

- ❖ ¿Qué es el parto espiritual?
- ❖ ¿Qué daba a luz el apóstol Pablo?
- ❖ ¿Cuáles son sus sueños para esta temporada?

APLICACIÓN

- ✓ El líder llamará a aquellas personas que quieren conocer al Señor y recibirlo en su corazón.
- ✓ Guiará al grupo en oración para que Dios les muestre su futuro y los medios para alcanzarlo.
- ✓ Luego orará por todos los que estén pasando dolores de parto para ayudarlos e interceder con ellos.

CÓMO VIVIR EN PAZ

PASAJE BÍBLICO

"14¡Gloria a Dios en las alturas, y en la tierra paz, buena voluntad para con los hombres!". Lucas 2.14

OBJETIVOS

- Enseñar a las personas a buscar la paz de Dios y la paz con los demás.
- Ofrecer a quienes nos visitan la paz de Cristo que quita todas las aflicciones de su corazón.

INTRODUCCIÓN

Muchas personas viven en constantes conflictos con su familia, en su trabajo, sus relaciones y aun en la iglesia. Hoy aprenderemos a vivir en paz, pero no en la paz humana que fácilmente se pierde, sino en la paz de Dios que permanece aún en medio de la mayor tempestad.

¿Qué es paz?

Paz es la traducción de la palabra griega *"eirene"*, que traducida es enmendar y fortalecer una relación. *"Eirene"* significa tranquilidad, quietud, ausencia de conflicto interior, fortaleza, prosperidad, salud, seguridad. Implica falta de agresión, relaciones armónicas entre Dios y los hombres, reconciliación. La idea de esta palabra es comparable a la situación de un hueso que se parte, que al ser enmendado vuelve a soldarse con el tiempo e, incluso, se hace más fuerte y firme que antes. Es también lo que sucede cuando dos enemigos deponen sus armas y caen en brazos uno del otro.

¿Cuáles son los dos tipos de paz que existen?

- La paz que da el mundo basada en estímulos externos.

  "27La paz os dejo, mi paz os doy; yo no os la doy como el mundo la da. No se turbe vuestro corazón, ni tenga miedo". Juan 14.27

- La paz que da Jesús, que es una fuerza o fortaleza interior que nos hace permanecer confiados aún cuando todo se derrumbe a nuestro alrededor. Esta paz no se basa en las circunstancias externas, sino que es un don de Dios que no se compra ni se gana, y se recibe por gracia divina y mediante la fe.

  "33Estas cosas os he hablado para que en mí tengáis paz. En el mundo tendréis aflicción; pero confiad, yo he vencido al mundo". Juan 16.33

¿Qué poder tiene esta paz de Dios?

- Guarda nuestros pensamientos.

  "7Y la paz de Dios, que sobrepasa todo entendimiento, guardará vuestros corazones y vuestros pensamientos en Cristo Jesús". Filipenses 4.7

- Gobierna nuestros corazones.

  "¹⁵Y la paz de Dios gobierne en vuestros corazones, a la que asimismo fuisteis llamados en un solo cuerpo; y sed agradecidos". Colosenses 3.15

- Nos da el descanso nocturno.

  "⁸En paz me acostaré, y asimismo dormiré; porque solo tú, Jehová, me haces vivir confiado". Salmos 4.8

- Guarda al que piensa en Él.

  "³Tú guardarás en completa paz a aquel cuyo pensamiento en ti persevera; porque en ti ha confiado". Isaías 26.3

- Genera paz con uno mismo.

  "¹⁴Seguid la paz con todos, y la santidad, sin la cual nadie verá al Señor". Hebreos 12.14

- Genera paz con los demás.

  "⁹Bienaventurados los pacificadores, porque ellos serán llamados hijos de Dios". Mateo 5.9

¿Cómo recibimos la paz de Dios?

Esta paz se recibe conociendo a Dios. Jesús trajo la reconciliación (paz) con Dios.

"¹Justificados, pues, por la fe, tenemos paz para con Dios por medio de nuestro Señor Jesucristo". Romanos 5.1

Bienaventurados…

- …aquellos que ayudan a terminar los conflictos y las divisiones entre los pueblos, naciones y razas.
- …aquellos que enmiendan relaciones rotas y las fortalecen.
- …aquellos que no toman la ofensa para división, sino que perdonan y buscan la paz.
- …aquellos que en medio de la tribulación, permanecen sumergidos en la paz de Jesús.

Jesús quebró su cuerpo para traer paz entre Dios y los hombres, de manera que la relación se hiciera tan fuerte como si la división nunca hubiera sucedido.

PREGUNTAS FINALES

- ❖ ¿Qué es la paz?
- ❖ ¿Cuáles son los dos tipos de paz que existen?
- ❖ ¿Cómo recibimos la paz de Dios?

APLICACIÓN

- ✓ El líder llamará a quienes no conocen a Jesús, viven en conflictos constantes y no encuentran descanso a su aflicción para orar por ellos e impartirles la paz de Cristo.
- ✓ Orará también por quienes necesiten renovarla.

EL PODER DE LA HONRA

PASAJE BÍBLICO

"26Si alguno me sirve, sígame; y donde yo estuviere, allí también estará mi servidor. Si alguno me sirviere, mi Padre le honrará". Juan 12.26

OBJETIVOS

- Enseñar al pueblo de Dios el valor de la honra.
- Rescatar a las almas que estaban dando su honra a dioses ajenos y reconciliarlos con Jesús.

INTRODUCCIÓN

Vivimos en una sociedad que poco o nada sabe acerca de dar honra a Dios y a los padres. Hoy se honra, incluso con tintes de veneración, a artistas, deportistas y políticos, pero se deja de lado a Dios. Los cristianos dicen honrar a Dios, pero no conocen siquiera el "poder" de honrar a quien lo merece.

¿Qué es honra? El verbo griego *"timáo"* se refiere a tener una gran estima, considerar preciado y de gran valor. Dios es honrado cuando se le:

- valora
- estima
- aprecia
- admira
- y considera digno

El mismo Padre demanda honra. La pasión más grande de un verdadero hijo de Dios es que el Padre celestial se sienta complacido con su honra.

"6El hijo honra al padre, y el siervo a su señor. Si, pues, soy yo padre, ¿dónde está mi honra? y si soy señor, ¿dónde está mi temor? dice Jehová de los ejércitos a vosotros, oh sacerdotes, que menospreciáis mi nombre...". Malaquías 1.6

¿Cómo puede Dios Padre ser apreciado, estimado y valorado? ¿Cómo demostrárselo?

1. Con nuestra alabanza

"23El que sacrifica alabanza me honrará; y al que ordenare su camino, le mostraré la salvación de Dios". Salmos 50.23

Este tipo de alabanza se refiere al vocablo hebreo *"todá"*, que significa acción de gracias dada con la boca. Así se inicia la honra, con una acción de gracias por las bendiciones pasadas, presentes y futuras.

2. Con nuestros bienes
La honra siempre va acompañada de riquezas y bienes materiales; si no, no es honra. La Biblia lo enseña así.

"⁹Honra a Jehová con tus bienes, y con las primicias de todos tus frutos". Proverbios 3.9

3. Con nuestra obediencia

La obediencia que nace del deseo de complacer a nuestro Padre es de mayor calidad que la que se hace por necesidad o para evitar consecuencias. Dios busca hijos apasionados que lo honren en todo lugar y situación.

Tres actitudes de gran honra a nuestro Padre celestial

- Hacer las cosas como Él las quiere.
- Que le obedezcamos en medio de la crisis.
- Que le sirvamos aun cuando tengamos que pagar un precio alto.

El honor es la garantía que mantiene encendida la llama del amor en nuestra relación con el Padre celestial, con nuestros padres espirituales y con nuestros padres naturales.

¿Qué sustenta la honra?

"²³La soberbia del hombre le abate; pero al humilde de espíritu sustenta la honra". Proverbios 29.23

¿Cuáles son los beneficios de honrar a nuestro Padre celestial?

1. Dios honra a los que le honran.

"²⁹... yo honraré a los que me honran, y los que me desprecian serán tenidos en poco". 1 Samuel 2.29-30

2. Dios te devolverá lo mismo que le diste.

"⁴Riquezas, honra y vida son la remuneración de la humildad y del temor de Jehová". Proverbios 22.4

PREGUNTAS FINALES

- ❖ ¿Por qué la honra tiene poder?
- ❖ ¿Qué hace Dios con aquellos que le honran?
- ❖ ¿Qué podemos hacer para honrar a Dios?

APLICACIÓN

- ✓ El líder llamará a quienes acepten que se han alejado de Dios. Los guiará a hacer la confesión de fe y los ministrará para que restauren su relación con el Padre.
- ✓ Luego orará por las personas que reconozcan que su honra a Dios, a sus padres espirituales y naturales no ha sido la adecuada.

RESTAURANDO EL ALTAR DE DIOS

PASAJE BÍBLICO

"²⁶Por siete días harán expiación por el altar, y lo limpiarán, y así lo consagrarán". Ezequiel 43.26

OBJETIVOS

- Enseñar sobre el significado de altar para Dios y cómo debemos conducirnos en él.
- Invitar a las personas nuevas a que construyan un altar para Dios en su corazón.

INTRODUCCIÓN

El altar a Dios es la iglesia donde su presencia está y donde nos reunimos a presentarle nuestra adoración y ofrendas. Pero el altar debe también estar en nuestro corazón, donde diariamente ofrezcamos sacrificios de tiempo y obediencia a nuestro Dios. Vamos a ver esto con más detalle.

¿Qué es un altar?

Un **altar** es el lugar donde se brindan ofrendas de adoración a Dios. El término en hebreo está relacionado con la palabra **sacrificio**, con el sentido de matar algo y derramar sangre; pero se aplica también al sitio donde se hacen sacrificios no sangrientos. La ofrenda es un sacrificio porque nos cuesta tiempo y energía. El altar es donde está la presencia de Dios y donde le llevamos nuestras ofrendas.

"²⁴Altar de tierra harás para mí, y sacrificarás sobre él tus holocaustos y tus ofrendas de paz, tus ovejas y tus vacas; en todo lugar donde yo hiciere que esté la memoria de mi nombre, vendré a ti y te bendeciré". Éxodo 20.24

¿Qué ha pasado en nuestros días con el altar de Dios?

- Hoy día el altar de Dios está arruinado. Muchos altares que antes eran para Él, actualmente están dedicados a actividades vacías de su presencia, a rituales religiosos sin vida. Por eso no hay fuego ni lluvia.

  "³⁰Entonces dijo Elías a todo el pueblo: Acercaos a mí. Y todo el pueblo se le acercó; y él arregló el altar de Jehová que estaba arruinado". 1 Reyes 18.30

- Los altares de hoy están cargados de pecado y maldad. Traemos nuestras rebeliones e iniquidades, pero no traemos a Dios una ofrenda de corazón puro. Él está cansado de eso.

  "²⁴No compraste para mí caña aromática por dinero, ni me saciaste con la grosura de tus sacrificios, sino pusiste sobre mí la carga de tus pecados, me fatigaste con tus maldades". Isaías 43.24

Dios pide ofrenda porque implica un sacrificio que nos cuesta. La actitud de irreverencia y falta de agradecimiento con las ofrendas que le traemos deshonra a Dios y lo aleja de nuestros altares. Hoy le damos el billete arrugado, la sobra del supermercado, lo último que nos quedó. La verdadera ofrenda es traer al altar algo que tiene un precio, un valor y un costo para que la presencia de Dios sea desatada sobre nosotros.

"²⁴Y el rey dijo a Arauna: No, sino por precio te lo compraré; porque no ofreceré a Jehová mi Dios holocaustos que no me cuesten nada. Entonces David compró la era y los bueyes por cincuenta siclos de plata". 2 Samuel 24.24

Hay una ley universal establecida por Dios que dice: "cuanto mayor sea el sacrificio, mayor poder desatará".

Ilustración: El rey de Moab, al ver que iba perdiendo la guerra, sacrificó a su propio hijo a sus dioses. Él conocía el principio del sacrificio y el gran poder que podía desatar. Pero los dioses de Moab no tenían el poder que tiene el nuestro.

"²⁶Y cuando el rey de Moab vio que era vencido en la batalla, tomó consigo setecientos hombres que manejaban espada, para atacar al rey de Edom; mas no pudieron. ²⁷Entonces arrebató a su primogénito que había de reinar en su lugar, y lo sacrificó en holocausto sobre el muro. Y hubo grande enojo contra Israel; y se apartaron de él, y se volvieron a su tierra". 2 Reyes 3.26-27

Jesús fue el sacrificio perfecto para darnos la victoria sobre la muerte y el Infierno. Su sangre pagó por nuestros pecados y nos dio el poder para derrotar a nuestros enemigos. Hoy los sacrificios no son de sangre, sino del corazón.

"¹¹Y miré, y oí la voz de muchos ángeles alrededor del trono, y de los seres vivientes, y de los ancianos; y su número era millones de millones, ¹²que decían a gran voz: El Cordero que fue inmolado es digno de tomar el poder, las riquezas, la sabiduría, la fortaleza, la honra, la gloria y la alabanza. ¹³Y a todo lo creado que está en el cielo, y sobre la tierra, y debajo de la tierra, y en el mar, y a todas las cosas que en ellos hay, oí decir: Al que está sentado en el trono, y al Cordero, sea la alabanza, la honra, la gloria y el poder, por los siglos de los siglos". Apocalipsis 5.11-13

PREGUNTAS FINALES

- ❖ ¿Qué es un altar?
- ❖ ¿Por qué está relacionado con sacrificio?
- ❖ ¿Cómo está el altar de Dios hoy?
- ❖ ¿Cuál fue el sacrificio de Jesús para restaurar nuestro altar?

APLICACIÓN

- ✓ El líder llamará a quienes reconozcan que no han tenido un altar para Dios en sus corazones y que están dispuestas a edificar uno aceptando el sacrificio de Jesús.
- ✓ Luego orará por los cristianos que quieren restaurar el altar que estaba en ruinas y recuperar la pasión por Él, a fin de comenzar a ofrecer sacrificios de obediencia y alabanza a Dios.
- ✓ Finalmente orará para que el Señor encienda el fuego en el altar.

SUFRE CON GOZO

PASAJE BÍBLICO

"¹Por tanto, nosotros también, teniendo en derredor nuestro tan grande nube de testigos, despojémonos de todo peso y del pecado que nos asedia, y corramos con paciencia la carrera que tenemos por delante, ²puestos los ojos en Jesús, el autor y consumador de la fe, el cual por el gozo puesto delante de él sufrió la cruz, menospreciando el oprobio, y se sentó a la diestra del trono de Dios". Hebreos 12.1-2

OBJETIVOS

- Desatar el gozo en las personas para que renueven sus fuerzas y permanezcan firmes en el camino.
- Mostrar al inconverso que hay otra manera de vivir y que se puede gozar en medio del dolor o el problema.

INTRODUCCIÓN

En el capítulo 11 de Hebreos leemos todo lo que pasaron los héroes de la fe para alcanzar las promesas de Dios y cumplir su voluntad. Por su fe derribaron muros, conquistaron reinos, cerraron bocas de leones, apagaron fuegos impetuosos, sacaron fuerzas de debilidad, se hicieron fuertes en batalla, pusieron en fuga a ejércitos, experimentaron azotes, vituperios, prisiones y cárceles; fueron apedreados, muertos a filo de espada, caminaron por desiertos, se refugiaron en cuevas y, algunos, no llegaron a ver lo prometido. Todo esto lo lograron por fe y algo más. Hoy veremos qué más tenían estos héroes de Dios.

"¹Por tanto, nosotros también, teniendo en derredor nuestro tan grande nube de testigos…corramos con paciencia la carrera que tenemos por delante". Hebreos 12.1

En este versículo se nos enseña que quienes lograron tantas cosas por la fe, se convierten ahora en nuestros testigos; nos ven desde el cielo y nos dicen: "sigan adelante, sigan corriendo la carrera, no se desanimen". Pablo diría: "a mí me apedrearon, me encarcelaron, me traicionaron y me abandonaron; pero logré permanecer fiel y firme en el propósito de mi vida. ¡Sigan adelante, ustedes también pueden hacerlo!".

¿Qué hacer para terminar esta carrera con éxito?

1. ***"…despojémonos de todo peso y del pecado que nos asedia…"***. Despojarse es una elección personal. Un peso no le deja correr bien la carrera; por eso, en lo natural, el atleta usa ropa y zapatos de carrera livianos. Debemos correr livianos para terminar la carrera. Este peso representa los apetitos carnales que pelean contra el espíritu; puede ser sobrepeso, ver demasiada televisión, dormir mucho o pensamientos de impureza sexual.

    "²⁴¿No sabéis que los que corren en el estadio, todos a la verdad corren, pero uno sólo se lleva el premio? Corred de tal manera que lo obtengáis. ²⁵Todo aquel que lucha, de todo se abstiene; ellos, a la verdad, para recibir una corona corruptible, pero nosotros, una incorruptible. ²⁶Así que, yo de esta manera corro, no como a la ventura; de esta manera peleo, no como quien golpea el aire".1 Corintios 9.24-26

    La segunda parte nos dice que nos despojemos de todo pecado. Pues no podemos pretender seguir a Jesús con pecado en nuestra vida.

2. **_"...corramos con paciencia la carrera que tenemos por delante"._** Ésta es una carrera de resistencia, por lo tanto, tenemos que correrla con paciencia. Esto implica persistencia, longanimidad y correr sin detenerse.

3. **_"...puestos los ojos en Jesús, el autor y consumador de la fe..."._** La expresión _"puestos los ojos"_ es la traducción del griego _"aforáo"_, que se compone de _"afó"_, lejos, y _"ohráo"_, ver. Esto se refiere a una atención no dividida, a alejar la mirada de todas las distracciones con el fin de contemplar un objetivo, en este caso, Jesús.

   El enemigo quiere distraerlo con comentarios negativos, el engaño de las riquezas, envolviéndolo en algo que no es su llamado o no está contemplado. Por eso usted debe saber cuándo ignorar y cuándo pelear. Si tales distracciones se meten en su destino, pelee. Hoy la tierra y las finanzas tiemblan, gente de mal testimonio y engañadora se levanta. Pero usted ponga sólo los ojos en Jesús y no se distraiga. ¡Aforáo!

4. **_"...el cual por el gozo puesto delante de él sufrió la cruz..."._** El gozo fue el arma y la fuerza que llevó a Jesús a pasar el sufrimiento, al igual que los antiguos.

   El gozo es una fuerza espiritual que está dentro de nosotros y nos permite estar contentos a pesar de las circunstancias externas. Este gozo ya lo tenemos en nosotros porque Jesús nos lo dio: es un fruto del Espíritu.

   "11Estas cosas os he hablado, para que mi gozo esté en vosotros, y vuestro gozo sea cumplido". Juan 15.11

   Dios se goza cuando su pueblo le alaba. **Regocijo** significa saltar de alegría, dar vueltas en el aire bajo la influencia de una emoción violenta.

   "17Jehová está en medio de ti, poderoso, él salvará; se gozará sobre ti con alegría, callará de amor, se regocijará sobre ti con cánticos". Sofonías 3.17

El gozo debe expresarse físicamente y con nuestros labios. Al otro lado de esa montaña o problema hay una nación, un negocio o un ministerio, pero tiene que aprender a gozarse. No deje que nadie le robe lo que Dios tiene para usted. El gozo es la fuerza que Dios nos ha dado para superar el sufrimiento y llegar, por medio de la fe, a nuestro propósito. Como creyentes sufriremos tribulaciones por hacer la voluntad de Dios, pero debemos elegir gozarnos a pesar de ellas y, entonces, venceremos.

PREGUNTAS FINALES

❖ ¿Cuáles son las claves para permanecer y alcanzar el éxito en nuestra carrera?
❖ ¿Cuál es la enseñanza de Pablo al enfrentar la tribulación?
❖ ¿Qué es regocijarse?

APLICACIÓN

✓ El líder llamará a las personas que no conocen a Jesús y hará la oración del pecador con ellas.
✓ Luego invitará a todos los presentes a tomarse de la mano y les ministrará la fortaleza y el gozo del Señor. Dará al Espíritu Santo libertad para que se manifieste con poder y derrame su vino de gozo sobre todos los asistentes.

LA COMUNIÓN CON EL ESPÍRITU SANTO

PASAJE BÍBLICO

"16Y yo rogaré al Padre, y os dará otro Consolador, para que esté con vosotros para siempre: 17el Espíritu de verdad, al cual el mundo no puede recibir, porque no le ve, ni le conoce; pero vosotros le conocéis, porque mora con vosotros, y estará en vosotros". Juan 14.16, 17

OBJETIVOS

- Restaurar la comunión de los creyentes con el Espíritu Santo para que lo reflejen en sus vidas.
- Acercar al inconverso a Jesús para que sea lleno del Espíritu Santo.

INTRODUCCIÓN

Cuando Jesús se fue de la tierra, nos envió un amigo igual a Él que moraría con nosotros para revelarnos su voluntad, consejo, consuelo y poder. Ese amigo es el Espíritu Santo. Hoy vamos a hablar de cómo se cultiva una relación con Él y cuál es el efecto de su poder en nuestras vidas.

- El Espíritu Santo separó a Pablo:

"1Había entonces en la iglesia que estaba en Antioquía, profetas y maestros: Bernabé, Simón el que se llamaba Niger, Lucio de Cirene, Manaén el que se había criado junto con Herodes el tetrarca, y Saulo. 2Ministrando éstos al Señor, y ayunando, dijo el Espíritu Santo: Apartadme a Bernabé y a Saulo para la obra a que los he llamado. 3Entonces, habiendo ayunado y orado, les impusieron las manos y los despidieron". Hechos 13.1-3

- El Espíritu Santo reveló lo que le sucedería a Pablo en Jerusalén.

"11...quien viniendo a vernos, tomó el cinto de Pablo, y atándose los pies y las manos, dijo: Esto dice el Espíritu Santo: Así atarán los judíos en Jerusalén al varón de quien es este cinto, y le entregarán en manos de los gentiles". Hechos 21.11

¿Cómo podemos llegar a ser amigos del Espíritu Santo?

El Espíritu Santo es una persona con mucho poder, santa y delicada. Nosotros debemos hacer una habitación en nuestro corazón para que habite, pues Él también es Dios. No es una visita, sino un habitante de nuestra casa, por lo cual debemos desarrollar una pureza absoluta (no perfección) y dedicar tiempo a solas con Él.

*La soledad es necesaria para la intimidad, la intimidad es necesaria para la impartición,
y la impartición es necesaria para el cambio.*

En esta relación debemos tener mucho cuidado porque el Espíritu Santo es muy sensible y delicado; se puede contristar o entristecer cuando dejamos entrar el mal a nuestro corazón. Cuando esto sucede, Él retrae su presencia. Para evitar esto, debemos estar atentos a Él, permitir que nos corrija cuando le hemos ofendido, tener disposición al arrepentimiento y no darnos el lujo de vivir sin su presencia.

¿Cuáles son los resultados de la comunión con el Espíritu Santo?
Nuestra vida, en comunión con el Espíritu Santo, se refleja en las siguientes características:

- Santidad
- Atrevimiento u osadía
- Purificación del corazón
- Milagros y maravillas a nuestro alrededor
- Gozo, paz y justicia

¿Qué contrista o hiere al Espíritu Santo?

Cualquier palabra desleal, crítica, chisme, queja o malas conversaciones lo pueden herir. La presencia de ayer no garantiza la de mañana y por eso debemos vivir atentos a no perderla. Cuando le ofendamos, antes de que venga algo peor, Él nos ofrecerá arrepentimiento. Pero si no lo aceptamos, Él se apartará de nosotros.

"14El Espíritu de Jehová se apartó de Saúl, y le atormentaba un espíritu malo de parte de Jehová". 1 Samuel 16.14

Grandes hombres de Dios tenían terror de la ausencia del Espíritu Santo por el enorme vacío interno que se experimentaba.

"11No me eches de delante de ti, y no quites de mí tu santo Espíritu". Salmos 51.11

La restauración es posible después de contristar al Espíritu Santo.

Si hemos contristado al Espíritu Santo, hay lugar hoy para el arrepentimiento. Si hemos tenido conversaciones equivocadas o conductas erradas y el Espíritu Santo ha estado tratando con nosotros y lo hemos resistido, hoy nos ofrece la oportunidad de restaurar nuestra relación con Él. Si usted no tiene paz ni gozo, si siente un vacío por dentro y no encuentra consuelo a su aflicción, es ocasión de restaurar su comunión con el Espíritu de Dios.

"14La gracia del Señor Jesucristo, el amor de Dios, y la comunión del Espíritu Santo sean con todos vosotros. Amén". 2 Corintios 13.14

PREGUNTAS FINALES

- ❖ ¿Qué sucede cuando un creyente no se arrepiente de haber ofendido al Espíritu de Dios?
- ❖ ¿Cómo se restaura la relación con el Espíritu Santo?
- ❖ ¿Cómo se cultiva la amistad o la comunión con el Espíritu Santo?

APLICACIÓN

- ✓ El líder llamará a las personas que no conocen a Jesús para que lo reciban como su Señor y Salvador.
- ✓ Desatará la llenura del Espíritu Santo y orará para que en sus vidas haya poder, gozo, paz y plenitud en todas las áreas.
- ✓ Luego orará por aquellos que reconocen haber contristado al Espíritu Santo y quieran tomar la oportunidad que Él les brinda de arrepentirse y restaurar su relación con Él.

CÓMO CONSTRUIR RELACIONES FUERTES

PASAJE BÍBLICO

"²⁴El hombre que tiene amigos ha de mostrarse amigo; y amigo hay más unido que un hermano". Proverbios 18.24

OBJETIVOS

- Solidificar las relaciones de amistad sobre la base firme de la palabra de Dios.
- Tocar el corazón de los inconversos y ofrecerles la amistad de Jesús y de nosotros como familia.

INTRODUCCIÓN

Hay un sinnúmero de creyentes que se sienten solos, que no tienen sentido de pertenencia a la iglesia, al país o a la sociedad. Existen siervos de Dios que no pueden abrirse con nadie a falta de un verdadero amigo. Muchas veces necesitamos a alguien de confianza para desahogar nuestro dolor, para contarle nuestras victorias y fracasos, alegrías y penas. La verdadera amistad se da en una relación de pacto y precisa de:

- Tiempo.
- Dinero (una amistad no se construye sólo con palabras).
- Confrontaciones (las personas que más nos hieren son aquellas que están más cercanas a nuestro corazón).

¿Quién es un verdadero amigo? Un verdadero amigo es alguien que cree lo que Dios está haciendo en usted. Y esa creencia es la que lo desata en el poder de Dios. Nuestro Padre nos unge pero las relaciones nos dan poder. Nadie puede saber lo que es en Dios si no tiene amistades verdaderas. En el Reino se crece por medio de relaciones. Cada uno tiene un depósito divino para complementar a otros y recibir de otros lo que Dios depositó en ellos. La amistad es una relación de ida y vuelta.

"¹⁷En todo tiempo ama el amigo, y es como un hermano en tiempo de angustia". Proverbios 17.17

Hay tres niveles de relaciones para crecer y madurar espiritualmente:

1. Un amigo o amiga que *añada valor* a su vida (Pablo y Bernabé).
2. Un padre que afirme su identidad como persona.
3. Un discípulo que reciba la herencia que nos ha sido depositada para dar.

¿Qué preguntas debemos hacernos cuando busquemos una amistad?

- ¿Cuál es el valor de esa relación?
- ¿Qué me ofrece y qué le puedo ofrecer?
- ¿Qué aporta a mis prioridades y qué aporto yo a las suyas?
- ¿Va él o ella en la misma dirección que voy yo o va hacia otra parte?
- ¿Qué tanto estoy dispuesto a dar y qué tanto a recibir?

La clave para edificar una relación cercana está en conocer las prioridades de nuestra vida. La prioridad se define por aquello a lo que más tiempo le dedicamos, de lo que más hablamos y lo que más nos gusta. Y dependiendo de cuál sea, así será la amistad que busquemos. Si su prioridad es la diversión, buscará amigos fiesteros; si su prioridad es el crecimiento espiritual, buscará amigos que amen a Dios.

"⁹El ungüento y el perfume alegran el corazón, y el cordial consejo del amigo, al hombre". Proverbios 27.9

¿Qué nos impide construir relaciones fuertes?

Las heridas del pasado, el rechazo y las traiciones. Un corazón herido no permite a la persona confiar en nadie más.

¿Cuáles son las cinco columnas sobre las cuales se edifica toda la relación de amistad?

- Amor. Es incondicional y nos lleva a echar raíces.

- Comunicación. Ser capaz de decir lo que hay en el corazón y escuchar y entender el corazón del amigo.

- Confianza. Esta palabra significa entregarse sin reservas. La confianza se gana.

- Respeto. Es dar a alguien el lugar que merece a partir de conocerlo y amarlo por lo que es, no por lo que tiene.

- Lealtad. Es la habilidad de no traicionar bajo ninguna circunstancia.

¿Qué beneficios traen las relaciones fuertes?

- Favor y gracia.
- Crecimiento espiritual.
- Ánimo y apoyo. El árbol da fuerza a las ramas para que no toquen el piso. Lo mismo sucede en la amistad.
- Nos conduce a llevar fruto.

Para construir relaciones fuertes es esencial que comprendamos que no existe la amistad perfecta. Debemos hacer una buena elección de nuestras amistades y, luego, invertir esfuerzo, amor y paciencia para construir una amistad duradera. De este modo podremos cumplir el propósito de Dios con esa amistad. ¡Qué grande es tener relaciones fuertes! ¡Qué hermoso es saber que Jesús es nuestro amigo!

PREGUNTAS FINALES

- ❖ ¿Quién es un verdadero amigo?
- ❖ ¿Cuáles son las columnas para construir relaciones fuertes y qué beneficios trae?

APLICACIÓN

- ✓ El líder presentará el plan de salvación a las personas nuevas, fundamentándose en la amistad de Cristo. Él es un amigo que nunca falla y siempre está dispuesto a escucharnos y ayudarnos.
- ✓ Luego hará una oración para que las personas puedan desarrollar relaciones fuertes en el reino de Dios y sean leales a sus amistades.

EL PODER DEL TESTIMONIO

PASAJE BÍBLICO

"11Y ellos le han vencido por medio de la sangre del Cordero y de la palabra del testimonio de ellos, y menospreciaron sus vidas hasta la muerte". Apocalipsis 12.11

OBJETIVOS

- Conocer la importancia del testimonio y su impacto de compartirlo con otros.
- Aprender la diferencia que hay entre predicar y testificar.

INTRODUCCIÓN

El testimonio de lo que Jesús ha hecho y está haciendo en nosotros es fundamental en la estrategia cristiana para alcanzar al mundo entero. Pero todavía hay creyentes que no han sabido cómo usar su testimonio pues no han entendido que es una de las armas más poderosas que tenemos. Para entender el impacto que puede causar nuestro testimonio en las personas, debemos primero conocer la diferencia entre predicar y testificar.

¿Qué es predicar?

Predicar es presentar las verdades de la palabra de Dios con autoridad, osadía, de forma directa y clara; esto hace que la unción del Espíritu Santo se manifieste y que la revelación de esas verdades quite el velo de engaño del enemigo. Asimismo, cambian y transforman, de forma radical, los corazones de aquellos que las reciben.

¿Qué es el testimonio?

El testimonio es compartir, testificar y hablar de experiencias personales como resultado de creer en la Palabra de Dios. Confirma la veracidad de la Palabra y las promesas de Dios que han sido declaradas a nosotros. Cuando predicamos un mensaje de sanidad, se enseñan principios por los cuales Dios sana. Sin embargo, cuando testificamos de un milagro de sanidad, estamos confirmando esos principios como reales. Predicar la palabra y testificar o dar testimonio deben ir siempre juntos.

"8...pero recibiréis poder, cuando haya venido sobre vosotros el Espíritu Santo, y me seréis testigos en Jerusalén, en toda Judea, en Samaria, y hasta lo último de la tierra". Hechos 1.8

Cuando una persona tiene la evidencia o experimenta la verdad de la Palabra, puede vencer al diablo; la experiencia le hace invencible porque no está a merced de los argumentos que se levanten contra ella -ya no está ciega ante la verdad-.

¿Qué necesitamos para compartir o hablar nuestro testimonio?

Para ser testigos eficaces, necesitamos **poder sobrenatural.** Para que nuestro testimonio impacte sobrenaturalmente debemos compartirlo con la ayuda del Espíritu Santo. Si Dios te sana, es para que des testimonio.

Ejemplos bíblicos:

El endemoniado gadareno: *"¹⁶Y les contaron los que lo habían visto, cómo le había acontecido al que había tenido el demonio, y lo de los cerdos". Marcos 5.16*

La samaritana: *"³⁹Y muchos de los samaritanos de aquella ciudad creyeron en él por la palabra de la mujer, que daba testimonio diciendo: Me dijo todo lo que he hecho". Juan 4.39*

El testimonio tiene tres propósitos:

1. Darle gloria a Dios.   2. Estimular y edificar la fe de otros.   3. Vencer al diablo.

No testificar es muestra de un corazón malagradecido. *"¹⁷Respondiendo Jesús, dijo: ¿No son diez los que fueron limpiados? Y los nueve, ¿dónde están? ¹⁸¿No hubo quien volviese y diese gloria a Dios sino este extranjero?". Lucas 17.17-18*

El arma del testimonio vence a Satanás, libera o desata el poder de la Palabra y la sangre de Cristo para otros.

"¹¹Y ellos le han vencido por medio de la sangre del Cordero y de la palabra del testimonio de ellos, y menospreciaron sus vidas hasta la muerte". Apocalipsis 12.11

El testimonio debe estar fundamentado en:

- La palabra de Dios. Jesús venció a Satanás al declarar: "Escrito está".
- La sangre de Jesús ("Por sus llagas hemos sido sanados" –liberados, comprados, reconciliados, provistos-).

Cada uno de nosotros tiene un testimonio, posee una evidencia de cambio por el poder de Dios. Tenemos que testificar lo que hemos visto y oído, y debemos hacerlo con denuedo. Jesucristo, conociendo esto, nos dejó la tarea de evangelizar por medio de nuestro testimonio. Dondequiera que usted vaya tiene que hablar, testificar de las experiencias de sanidad, paz, provisión, salud y liberación que Dios le ha regalado. ¡Sea un testigo de su poder!

PREGUNTAS FINALES

❖ ¿Qué es predicar?
❖ ¿Qué es el testimonio?
❖ ¿Qué necesitamos para compartir o hablar nuestro testimonio?

APLICACIÓN

✓ El líder compartirá un testimonio de lo que Dios ha hecho en su vida y dará oportunidad para que el resto del grupo pueda compartir un testimonio personal. Orará para que seamos testigos del poder de un Dios vivo.
✓ Luego invitará a los visitantes a conocer o reconciliarse con el Señor para que reciban el perdón de pecados, la sanidad de sus cuerpos, el mejoramiento de sus relaciones y finanzas, y el milagro de la transformación de sus vidas.

TEME A DIOS Y PAGA TUS VOTOS

PASAJE BÍBLICO

"25De ti será mi alabanza en la gran congregación; mis votos pagaré delante de los que le temen". Salmos 22.25

OBJETIVOS

- Enseñar al pueblo a honrar los votos y promesas hechos a Dios.
- Invitar a las personas nuevas a entregar su corazón a Dios y hacer un voto para recibir su bendición.

INTRODUCCIÓN

Dios trabaja con su pueblo mediante pactos, votos y promesas. Cuando su pueblo cumple, Dios le bendice.

¿Qué es un voto a Dios? Voto es la traducción del vocablo hebreo *"nadár"*, que significa promesa. Es el acto verbal de consagrar algo a Dios para un uso determinado, ya sea material, emocional o espiritual; es prometer el cumplimiento de algo, ligar el alma con una obligación o adquirir el compromiso con una ofrenda.

Ilustración: *"20E hizo Jacob voto, diciendo: Si fuere Dios conmigo, y me guardare en este viaje en que voy, y me diere pan para comer y vestido para vestir, 21y si volviere en paz a casa de mi padre, Jehová será mi Dios. 22Y esta piedra que he puesto por señal, será casa de Dios; y de todo lo que me dieres, el diezmo apartaré para ti".* Génesis 28.20-22

Cuando usted hace pacto con Dios, tenga por seguro que Él cumplirá su parte. Por eso usted debe también cumplir la suya. Es correcto hacer pacto con Dios y esperar que, al cumplir nuestro voto, Él nos bendiga.

¿Podemos tomar los votos que hacemos con Dios ligeramente? NO, de ningún modo.

"1Cuando fueres a la casa de Dios, guarda tu pie; y acércate más para oír que para ofrecer el sacrificio de los necios; porque no saben que hacen mal. 2No te des prisa con tu boca, ni tu corazón se apresure a proferir palabra delante de Dios; porque Dios está en el cielo, y tú sobre la tierra; por tanto, sean pocas tus palabras. 3Porque de la mucha ocupación viene el sueño, y de la multitud de las palabras la voz del necio. 4Cuando a Dios haces promesa, no tardes en cumplirla; porque él no se complace en los insensatos. Cumple lo que prometes". Eclesiastés 5.1-4

Hay dos puntos importantes que sobresalen en estos versos:

- No haga votos a la ligera pensando que está haciendo votos con un hombre. Dios no es hombre y con Él no se juega.
- Cumpla a Dios lo que le prometió.

¿Es mejor no hacer votos ni promesas a Dios?

No. Debe hacer votos a Dios pero con fe, sabiduría y esfuerzo por cumplirlos.

"5Mejor es que no prometas, y no que prometas y no cumplas". Eclesiastés 5.5

Hay mucha gente que usa este verso para no comprometerse con Dios. Los votos que hacemos a Dios en fe y en obediencia siempre nos empujan a otro nivel.

"²¹Y Jehová será conocido de Egipto, y los de Egipto conocerán a Jehová en aquel día, y harán sacrificio y oblación; y harán votos a Jehová, y los cumplirán". Isaías 19.21

¿Cuáles son las consecuencias de no cumplir los votos, promesas y pactos a Dios? Cuando hacemos votos con los hombres y no cumplimos, perdemos credibilidad, confianza y reputación. Por eso es importante no prometer en vano. Si prometemos algo a Dios y no cumplimos, habrá consecuencias:

1. **Dios se enojará, porque fallar a un voto es pecado.**

   "⁶No dejes que tu boca te haga pecar, ni digas delante del ángel, que fue ignorancia. ¿Por qué harás que Dios se enoje a causa de tu voz, y que destruya la obra de tus manos?". Eclesiastés 5.6

2. **Dios destruirá la obra de nuestras manos.** Lo único que Dios tiene que hacer para que todo nos vaya mal es quitarnos su (y de su) presencia. Se ha preguntado, ¿por qué las puertas se han cerrado? ¿Por qué el trabajo no se le da o los negocios no funcionan? ¿Por qué se estancó todo de repente? ¿Qué votos he hecho a Dios y no he cumplido? Vuelva a Él, pídale perdón y ¡cumpla!

¿Cuál es la solución para estar a cuentas con Dios?

1. Pedir perdón a Dios por no haber cumplido sus votos.
2. Pagar, tanto a Dios como a los hombres, los votos, promesas y pactos, sean financieros, espirituales o de cualquier índole.
3. Pedir a Dios que le dé fe, obediencia y temor de Él para cumplir lo prometido.

Recuerde: ¡Dios no es hombre para jugar con Él!

PREGUNTAS FINALES

- ❖ ¿Qué es un voto?
- ❖ ¿Por qué no se debe romper un voto hecho a Dios?
- ❖ ¿Cuáles las consecuencias de no cumplir nuestros votos?

APLICACIÓN

- ✓ El líder invitará a los visitantes a recibir al Señor en su corazón y a hacer un pacto con Él para recibir bendición en sus vidas.
- ✓ Luego guiará a los demás en una oración para pedir perdón, renovar sus votos con Dios y tomar la decisión de cumplirlos.

CONQUISTANDO LA TIERRA PROMETIDA

PASAJE BÍBLICO

"¹⁷Y Jacob) dijo: ¡Cuán terrible es este lugar! No es otra cosa que casa de Dios, y puerta del cielo. ¹⁹Y llamó el nombre de aquel lugar Bet-el, aunque Luz era el nombre de la ciudad primero". Génesis 28.17, 19

OBJETIVOS

*   Enseñar al creyente a prepararse para conquistar su tierra prometida.
*   Quitar el anatema del pueblo de Dios.

INTRODUCCIÓN

Muchas son las promesas que Dios nos ha dado; extensa y rica es la tierra que Él nos ha prometido. Hemos soñado con ella, hemos visto nuestro hogar restaurado, nuestros hijos en casa, nuestra carrera en ascenso, nuestro negocio despegar, nuestro ministerio extenderse, las almas entrando al Reino o la ciudad conquistada para Cristo. Pero para alcanzar todo esto, para conquistar la tierra prometida, necesitamos entender ciertos puntos. En esto nos puede ayudar la historia de los grandes hombres de Dios del Antiguo Testamento. Vamos a conocer el significado espiritual de un lugar llamado Bet-el.

Bet-el era una ciudad ubicada al norte de Jerusalén. Bet-el significa Casa de Dios: *Bet* = casa y *El* = Dios.

¿Qué pasó con Abraham en Bet-el?

1.   **En Bet-el, Abraham edificó un altar para adorar a Jehová.**

     "⁷Y apareció Jehová a Abram, y le dijo: A tu descendencia daré esta tierra. Y edificó allí un altar a Jehová, quien le había aparecido. ⁸Luego se pasó de allí a un monte al oriente de Bet-el, y plantó su tienda, teniendo a Bet-el al occidente y Hai al oriente; y edificó allí altar a Jehová, e invocó el nombre de Jehová". Génesis 12.7-8

     ¿Qué debemos hacer en Bet-el?

     *   **Edificar un altar.** Un altar es un lugar donde se adora y se busca a Dios. En el altar se da el lugar y el derecho a Dios para que se entrone en nuestras vidas. Él necesita que levantemos un altar para adorarle en nuestra casa, nuestra familia y nuestra oficina; un altar para que Jesús se entrone en nosotros, tenga derecho legal en nuestras batallas, pelee por nosotros, derrote a nuestros enemigos y nos dé la victoria.

     *   **Reparar el altar.**

         "³⁰Entonces dijo Elías a todo el pueblo: Acercaos a mí. Y todo el pueblo se le acercó; y él arregló el altar de Jehová que estaba arruinado". 1 Reyes 18.30

         En el desierto usted oraba de vez en cuando; pero ahora, en la nueva tierra, necesita levantar un altar para adorar a Dios todos los días, todo el tiempo. Dios lo tiene en ese trabajo para que en su corazón levante allí un altar de adoración a Él; recuerde que es usted templo del Espíritu Santo y que Dios vive en su interior.

2. **En Bet-el, Jacob recibió un sueño y una promesa de Dios.** Bet-el es el lugar donde entregamos nuestros sueños para recibir los sueños de Dios.

"¹⁰Salió, pues, Jacob de Beerseba, y fue a Harán. ¹¹Y llegó a un cierto lugar, y durmió allí... ¹²Y soñó: y he aquí una escalera que estaba apoyada en tierra, y su extremo tocaba en el cielo; y he aquí ángeles de Dios que subían y descendían por ella. ¹³Y he aquí, Jehová estaba en lo alto de ella, el cual dijo: Yo soy Jehová, el Dios de Abraham tu padre, y el Dios de Isaac; la tierra en que estás acostado te la daré a ti y a tu descendencia. ¹⁴Será tu descendencia como el polvo de la tierra, y te extenderás al occidente, al oriente, al norte y al sur; y todas las familias de la tierra serán benditas en ti y en tu simiente. ¹⁵He aquí, yo estoy contigo, y te guardaré por dondequiera que fueres, y volveré a traerte a esta tierra; porque no te dejaré hasta que haya hecho lo que te he dicho". Génesis 28.10-15

3. **En Bet-el, Josué sacó el anatema del pueblo de Israel.**

"¹⁰Y Jehová dijo a Josué: ...Israel ha pecado, y aun han quebrantado mi pacto que yo les mandé; y también han tomado del anatema, y hasta han hurtado, han mentido, y aun lo han guardado entre sus enseres. ¹²Por esto los hijos de Israel no podrán hacer frente a sus enemigos..., ni estaré más con vosotros, si no destruyereis el anatema de en medio de vosotros". Josué 7.10, 12

¿Qué es anatema? Anatema es todo aquello que no agrada a Dios. Anatema es un trabajo deshonesto, objetos y costumbres mundanas que no honran a Dios. Por ejemplo, vivir en pareja sin estar casados o el adulterio son anatemas porque atesoran en el corazón aquello que desagrada a Dios. Si hay anatema en nuestra vida, Jesús no podrá pelear nuestras batallas. Por eso no obtenemos la victoria.

Cuando edificamos y restauramos el altar de Dios en nuestra vida, nuestra iglesia, familia y trabajo, Dios nos da un sueño, una tierra que conquistar. Para conquistarla, debemos estar alineados con la voluntad de Dios sin anatemas en nuestra vida. Cuando esto suceda, Dios entregará en nuestras manos la tierra prometida.

"¹Jehová dijo a Josué: No temas ni desmayes; toma contigo toda la gente de guerra, y levántate y sube a Hai. Mira, yo he entregado en tu mano al rey de Hai, a su pueblo, a su ciudad y a su tierra". Josué 8.1

PREGUNTAS FINALES

❖ ¿Por qué necesitamos reparar el altar de Dios en nuestra vida? ¿Qué lo derribó?
❖ ¿Cuál es el anatema en nuestra vida?
❖ ¿Cuáles son las promesas de Dios que no se han cumplido todavía en nuestra vida?

APLICACIÓN

✓ El líder llamará a las personas inconversas para que acepten a Jesús y reciban los sueños de Dios para ellos.
✓ Luego cada uno escribirá aquello que considera anatema y lo pondrá en una caja o recipiente para sacarlo de su vida. El líder, en actos profético, destruirá esos papeles, ya sea rompiéndolos o quemándolos.

NAVIDAD: MITOS Y VERDADES

PASAJE BÍBLICO

"32...y conoceréis la verdad, y la verdad os hará libres". Juan 8.32

OBJETIVOS

- Enseñar al pueblo la verdad sobre las prácticas y costumbres de la Navidad.
- Presentar al inconverso el Evangelio, la verdad de Cristo y las mentiras del enemigo.

INTRODUCCIÓN

Hay muchos conceptos e ideas equivocadas acerca de la Navidad. Con la ayuda del Espíritu Santo, hoy aprenderemos el significado bíblico y verdadero de esta celebración y los mitos que se han formado sobre ella.

¿Qué es la Navidad? La Navidad es el día para celebrar el nacimiento de Jesús. Lamentablemente esta fiesta ha perdido su verdadero sentido; se ha convertido en una colección de tradiciones y prácticas tomadas de diversas culturas y naciones.

¿Dónde se originó la celebración? La celebración del 25 de diciembre se originó en Roma, fecha en que se festejaba al dios itálico Saturno y la reencarnación del dios Sol. Los romanos creían que la luz del día aumentaba después del 22 de diciembre cuando el dios Sol moría. Creían que éste se levantaba de los muertos y que nacía tres días después. Esta tradición era motivo de gran celebración; los templos romanos se llenaban de gente que festejaba y ofrecía sus regalos.

¿Cuándo nació Jesús? La palabra de Dios no proporciona una fecha exacta, pero algunos estudios revelan que fue aproximadamente entre mediados y finales de octubre. El verdadero significado de la Navidad es el nacimiento del hijo de Dios. Pero lo importante no es el día, sino el acontecimiento y el motivo por el cual lo celebramos.

"10Pero el ángel les dijo: No temáis; porque he aquí os doy nuevas de gran gozo, que será para todo el pueblo: 11que os ha nacido hoy, en la ciudad de David, un Salvador, que es CRISTO el Señor". Lucas 2.10-11

¿Qué significa *Christmas*? La palabra ***christmas***, utilizada en inglés para referirse a Navidad, es una combinación de *Christ*, Cristo y *mass*, muerte. Este nombre fue originado en la iglesia católica romana. El ritual de la misa (*mass*) envuelve la muerte de una víctima y la distribución de su carne y su sangre. La iglesia católica absorbió las costumbres, tradiciones el paganismo general de cada cultura en sus esfuerzos por aumentar su esfera de control. Permitió de este modo que cada pueblo trajera sus dioses, ritos y costumbres, y les dio nombres de semejanza cristiana para incorporarlos a sus ritos.

Santa Claus, Papá Noel, San Nicolás

El primer presunto dador de regalos fue un hombre llamado Nicolás, nacido en Myra (Turquía), alrededor de 300 años dC. Hijo único de una familia de gran fortuna, perdió a sus padres de niño durante una plaga. Creció en un monasterio y a los 17 años se convirtió en el sacerdote más joven de su época para luego ser obispo. Después de su muerte (6 de diciembre), la iglesia Católica lo canonizó. Eventualmente, la celebración de la Navidad y San

Nicolás fueron integradas. Durante la Reforma de Lutero los protestantes no aceptaron a San Nicolás por su conexión con la iglesia Católica. Por eso cada región creó su propio dador de regalos.

El origen espiritual de todo esto fue que Satanás, cuando vio que se celebraba el nacimiento de Jesús, buscó un sustituto, un espíritu demoníaco llamado Madián. Forjó así una distracción para reemplazar al Mesías, el verdadero protagonista de la Navidad. Finalmente, en 1931, la compañía Coca-Cola mundializó la figura de Santa Claus cuando publicitó un dibujo del mismo para sus festividades navideñas.

¿Quién es Madián? Madián era un pueblo que robaba la cosecha y el fruto del pueblo de Israel (Jueces 6.2-6). Es un espíritu demoníaco que hurta la cosecha del pueblo y lo deja en miseria. Éste es el mismo espíritu que actúa en Navidad. La gente compra a discreción, endeudándose por sus consumos exagerados, y sin la obtención de gozo; esto explica porqué navidad es la época donde se reporta mayor cantidad de suicidios, casos de depresión y rupturas familiares.

¿Qué hace el espíritu de Madián? El espíritu de Madián roba el corazón de los niños. El enemigo siempre quiere destruir la fe en el corazón de los infantes para luego anular su capacidad de creer en Dios (Mateo 2.13-16). Madián toma el lugar de Jesús y por eso los niños, una vez que crecen y saben de la mentira, se les hace difícil creer en Jesús. La verdadera razón de la Navidad es Jesús, quien nació de una virgen, murió por nuestros pecados y resucitó para traer luz y paz a la tierra.

"2El pueblo que andaba en tinieblas vio gran luz; los que moraban en tierra de sombra de muerte, luz resplandeció sobre ellos". Isaías 9.2

¿Es pecado celebrar la Navidad y dar regalos? No es pecado celebrar la Navidad si celebramos a Jesús; tampoco es malo regalar si se siembra en las personas correctas y si uno puede pagar los regalos sin endeudarse. Jesús quiere ser adorado como Rey, no sólo en esa temporada sino todo el tiempo; anhela ser adorado por su sacrificio en la cruz y por el propósito de traer a su vida lo que a usted le es imposible conseguir. El invento de Santa Claus viene a robar todo lo que usted tiene porque se nos hace creer que trae milagros y regalos. Jesús vino para darnos vida y Él no nos va a fallar como Santa Claus. No permita que el espíritu de Madián le robe los sueños.

PREGUNTAS FINALES

* ❖ ¿De dónde procede la costumbre de San Nicolás, Santa Claus y Papá Noel?
* ❖ ¿Quién es Madián?
* ❖ ¿Es malo celebrar la Navidad con arbolito y regalos?

APLICACIÓN

* ✓ El líder llamará a las personas que consideran haber vivido engañadas y desean aceptar a Jesús.
* ✓ Luego guiará al grupo a renunciar al espíritu de Madián, que es espíritu de deuda y robo de cosecha.
* ✓ También orará por los niños para que sean libres del engaño de Santa Claus y esperen sus regalos de sus padres y familiares, pero sobre todo de Jesús que nos vino a dar vida eterna.

LA GENERACIÓN ENTENDIDA EN LOS TIEMPOS

PASAJE BÍBLICO

"⁵El que guarda el mandamiento no experimentará mal; y el corazón del sabio discierne el tiempo y el juicio".
Eclesiastés 8.5

OBJETIVOS

* Anunciar el tiempo de salvación a los perdidos.
* Alinear al pueblo de Dios con los tiempos que vivimos para ser un "entendido".

INTRODUCCIÓN

¿Qué tiempos estamos viviendo? Dios está levantando una generación de gente que entienda los tiempos que vivimos y lo que hace Dios. Una generación capaz de guiar a otros a cumplir la voluntad del Padre.

"³²De los hijos de Isacar, doscientos principales, entendidos en los tiempos, y que sabían lo que Israel debía hacer, cuyo dicho seguían todos sus hermanos". 1 Crónicas 12.32

El nombre **Isacar** significa "uno que lleva la carga profética". Ésta tiene que ver con responsabilidad, con llevar un mensaje de Dios, la carga por los perdidos, la oración, la liberación, los niños, la familia, la ciudad o la nación.

"...entendidos en los tiempos...". La palabra **entendidos** es la traducción del vocablo hebreo *"biná"*, referente a prudencia, inteligencia, predecir, anunciar, discernir o distinguir; es la habilidad de ver más allá de lo obvio o ver de manera intuitiva.

¿Por qué necesitamos "hijos de Isacar"? La palabra hebrea *"yadá"* significa percibir, distinguir, penetrar, conocer algo, revelarse uno mismo, hacer que me conozcan. Dios está levantando una generación capaz de discernir, anunciar y ver más allá de lo obvio, con la carga profética sobre sus hombros y con conocimiento de Dios.

¿Qué tiempos estamos viviendo?

1. **Tiempos malos.**

    "¹Pero el Espíritu dice claramente que en los postreros tiempos algunos apostatarán de la fe, escuchando a espíritus engañadores y a doctrinas de demonios". 1 Timoteo 4.1

2. **Tiempos de juicio a la Iglesia y al mundo.**

    * Terremotos, huracanes, maremotos.
    * Colapsos financieros y conflictos irreconciliables.
    * El juicio comienza por la casa.

    "¹⁷Porque es tiempo de que el juicio comience por la casa de Dios; y si primero comienza por nosotros, ¿cuál será el fin de aquellos que no obedecen al evangelio de Dios?". 1 Pedro 4.17

3. **Tiempos de guerra espiritual.**

- Ataques a la salud, a los matrimonios, a los hombres.
- Desánimo, desgaste, indiferencia a Dios.

    "12Por lo cual alegraos, cielos, y los que moráis en ellos. ¡Ay de los moradores de la tierra y del mar! porque el diablo ha descendido a vosotros con gran ira, sabiendo que tiene poco tiempo". Apocalipsis 12.12

4. **Tiempos de transición.**

- De una generación de 'vino viejo' a una de 'vino nuevo'. Los grandes generales de la fe han pasado a estar con el Señor y los jóvenes están tomando su lugar.
- Las riquezas están pasando de manos de impíos a manos de justos.

5. **Tiempos en que los hijos están recibiendo su herencia espiritual.**

- La restauración de la paternidad.
- La ley de la impartición.

6. **Tiempos de avivamiento y hambre espiritual por el Dios vivo.**

- La gente está buscando algo nuevo.
- Tiene sed de la presencia de Dios y de lo sobrenatural.

7. **Tiempos de cosecha.**

    "35Alzad vuestros ojos y mirad los campos, porque ya están blancos para la siega". Juan 4.35

¿Qué hacer en estos tiempos? Debemos confiar en que nuestro tiempo está en manos de Dios. El tiempo es corto y debemos aprovecharlo al máximo. No desperdiciemos las horas en cosas sin sentido. Aprovechemos cada minuto.

"16...aprovechando bien el tiempo, porque los días son malos". Efesios 5.16

PREGUNTAS FINALES

- ❖ ¿Qué significa ser entendido en los tiempos?
- ❖ ¿En qué tiempos estamos viviendo?
- ❖ ¿Qué debemos hacer en este tiempo?

APLICACIÓN

- ✓ El líder hará el llamado a las personas que no conocen a Jesús, pero entienden que es tiempo de rendirse a Él.
- ✓ Luego guiará en oración a todo el grupo para que el Señor les dé entendimiento sobre los tiempos que vivimos.

EL PODER DEL TESTIMONIO

PASAJE BÍBLICO

"12Porque tú, oh Jehová, bendecirás al justo; como con un escudo lo rodearás de tu favor". Salmos 5.12

OBJETIVOS

- Invitar a las personas que están solas a que se sientan en familia y reciban el amor de Dios.
- Guiar al inconverso a recibir a Jesús y a que comience nuevo año y nueva vida con la gracia y el favor de Dios.

INTRODUCCIÓN

Ésta será una oportunidad para compartir y celebrar la Navidad. Compartiremos un breve mensaje, testimonios y una cena en familia, la familia de Cristo. Traeremos una ofrenda de agradecimiento al Señor, en testimonios, dinero, regalitos para repartir y comida para compartir.

A lo largo de este año, el Señor ha sido fiel con su pueblo; su gracia y su favor han estado con nosotros para sacarnos del dolor, de la enfermedad, de la perdición, de la soledad, de los vicios, de la falta de sentido e identidad y de mucho más. Un año para conocer y acercarnos más al cumplimiento del propósito de Dios en nuestras vidas y ver su poder transformador. Por eso hoy nos reunimos en una noche de agradecimiento.

¿Qué es el favor de Dios?

El favor de Dios es una gracia inmerecida que nos hace dignos de recibir lo que no podríamos lograr en nuestras fuerzas. Cuando Dios derrama su favor y gracia sobre alguien, esto lo hace irresistible y todo se le comienza a dar: los milagros, las sanidades, los trabajos, la prosperidad, todo.

Pero el favor de Dios no es desatado indiscriminadamente. Él no lo desata sino hasta que hayamos encontrado gracia delante de sus ojos. Tenemos que buscar el favor de Dios para que nos vaya bien en la vida.

"10Pues, ¿busco ahora el favor de los hombres, o el de Dios? ¿O trato de agradar a los hombres? Pues si todavía agradara a los hombres, no sería siervo de Cristo". Gálatas 1.10

Hoy vamos a dar gracias a Dios porque hemos sido favorecidos por Él. Su gracia se ha derramado sobre nuestras vidas y tenemos testimonios de gratitud.

- Demos gracias a Dios por nuestra iglesia, porque su presencia está allí y los milagros suceden a diario.
- Demos gracias a Dios por el nuevo nivel de gloria al que Él nos ha llevado.
- Demos gracias a Dios por este año que termina y por el año que en pocos días comenzará.

Ésta es la oportunidad para que cada uno dé gracias, contando un testimonio breve para que los demás sepan lo que Dios es capaz de hacer por sus hijos.

PREGUNTAS FINALES

❖ ¿Qué es el favor de Dios?
❖ ¿Ha compartido el amor de Dios últimamente?

APLICACIÓN

✓ Esta clase será muy corta; incluso, se puede impartir mientras la gente cena. Terminada la clase, el líder abrirá la oportunidad para que cada persona dé un breve testimonio de lo que Dios hizo este año en su vida.
✓ Finalmente recogerá las ofrendas especiales y hará el llamado para que las personas que no conocen al Señor puedan comenzar este año con el favor y la gracia de Dios en sus vidas.